NEW
서울대 선정
인문고전
60선

32
키케로 의무론

NEW 서울대 선정 인문 고전 32
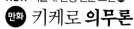 키케로 의무론

개정 1판 1쇄 인쇄 | 2019. 8. 14
개정 1판 1쇄 발행 | 2019. 8. 21

윤지근 글 | 권오영 그림 | 손영운 기획

발행처 김영사 | 발행인 고세규
등록번호 제 406-2003-036호 | 등록일자 1979. 5. 17.
주소 경기도 파주시 문발로 197 (우10881)
전화 마케팅부 031-955-3100 | 편집부 031-955-3113~20 | 팩스 031-955-3111

값은 표지에 있습니다.
ISBN 978-89-349-9457-2
ISBN 978-89-349-9425-1(세트)

좋은 독자가 좋은 책을 만듭니다. 김영사는 독자 여러분의 의견에 항상 귀 기울이고 있습니다.
독자의견전화 031-955-3139 | 전자우편 book@gimmyoung.com
홈페이지 www.gimmyoungjr.com | 어린이들의 책놀이터 cafe.naver.com/gimmyoungjr

이 도서의 국립중앙도서관 출판예정도서목록(CIP)은 서지정보유통지원시스템 홈페이지(http://seoji.nl.go.kr)와
국가자료종합목록시스템(http://www.nl.go.kr/kolisnet)에서 이용하실 수 있습니다. (CIP제어번호 : CIP2018042953)

어린이제품 안전특별법에 의한 표시사항
제품명 도서 제조년월일 2019년 8월 21일 제조사명 김영사 주소 10881 경기도 파주시 문발로 197
전화번호 031-955-3100 제조국명 대한민국 ⚠주의 책 모서리에 찌히거나 책장에 베이지 않게 조심하세요.

미래의 글로벌 리더들이 꼭 읽어야 할 인문고전을 만화로 만나다

NEW
서울대 선정
인문고전
60선

32
키케로 의무론

윤지근 글 · 권오영 그림

주니어김영사

'서울대 선정 인문고전 50선'이 국민 만화책이 되기를 바라며

40여 년 전, 제가 살던 동네 골목 어귀에는 아이들에게 만화책을 빌려 주는 가게가 있었습니다. 땅바닥에 검정색 비닐을 깔고 그 위에 아이들이 좋아하는 만화책을 늘어놓았는데, 1원을 내면 낡은 만화책 한 권을 빌릴 수 있었지요. 저는 그곳에서 처음으로 만화책을 접했고, 만화책을 보면서 한글을 깨쳤습니다. 어쩌면 그때 저는 만화가 가진 힘을 깨우쳤다고 할 수 있습니다.

이렇게 만화책으로 시작한 책과의 인연으로 저는 책을 좋아하게 되었고, 중학교 때는 도서반장을 맡게 되었습니다. 약 10만 권의 장서를 자랑하는 학교 도서관을 매일 밤 10시까지 지키면서 참 많은 책을 읽었습니다.

또래의 아이들이 지겹게만 여기던 헤밍웨이의 《노인과 바다》를 두 손에 땀을 쥐며 네 번이나 읽었습니다. 또한 헤르만 헤세의 《데미안》을 읽으며 질풍노도의 시절을 달랬고, 김래성의 《청춘 극장》을 밤새워 읽느라고 중간고사를 망치기도 했습니다.

당시 저의 꿈은 아주 큰 도서관을 운영하는 사람이 되어 하루 종일 책을 보면서 사람들에게 필요한 책을 쓰는 작가가 되는 것이었습니다. 이제 저는 한 가지 더 큰 꿈을 가지려고 합니다. 그것은 우리나라의 아이들이 꿈과 위로를 얻고, 나아가 인생을 성찰하게 해 줄 수 있는 멋진 만화책을 만드는 일입니다.

'서울대 선정 인문고전 50선'은 서울대학교 교수님들이 추천한 청소년들이 꼭 읽어야 할 동서양 고전 중에서 50권을 골라 만화로 만든 것입니다. 이 책들은 그야말로 인류 문화의 금자탑이라고 할 수 있는 것이지만, 사실 제목만 알고 있을 뿐 쉽사리 읽을 엄두가 나지 않는 책들입니다.

그것을 수십 명의 중·고등학교 선생님들과 전공 학자들이 밑글을 쓰고, 또 수십 명의 만화가들이 고민에 고민을 거듭하여 쉽고 재미있게, 그러면서도 원서의 내용을 정확하게 전달할 수 있도록 노력하여 만들었습니다.

그래서 '서울대 선정 인문고전 50선'이 어린이와 청소년뿐만 아니라 부모님들이 함께 봐도 좋을 만화책이라고 자부합니다. 국민 배우, 국민 가수가 있듯이 만화로 읽는 '서울대 선정 인문고전 50선'이 '국민 만화책'이 되길 큰마음으로 바랍니다.

송영운

인간이 사는 이유와
해야 할 의무에 대한 교과서

키케로는 공화국 로마가 제정 로마로 이행되는, 극심한 혼란 가운데 살았던 사람입니다. 그는 내전과 독재의 야심으로 얼룩진 로마를 정의롭고 선한 공화국으로 새롭게 하려는 개인적인 열망을 품고 살았습니다. 키케로의 《의무론》은 그가 어떤 사람이고 어떤 사람이고자 했는지를 단적으로 잘 보여주는 책입니다. 키케로는 그리스의 철학자 파나이티오스의 전례를 계승해, 삶에서 어떤 것이 도덕적 선이며 또 무엇이 유익한 것인지, 또 도덕적 선과 유익함 사이의 충돌은 어떻게 해결할 수 있는지 하는 문제들에 대해서 스토아학파의 사상에 기초해 분명하게 논하고 있습니다. 그에 따르면 오직 도덕적 선이 최고의 선일 뿐만 아니라 유일한 선이며, 그래서 오직 도덕적으로 선한 것만이 유익하고, 유익한 것은 반드시 도덕적으로 선해야 합니다. 도덕적 선과 유익함이 서로 충돌하는 것처럼 보이는 것은 도덕적으로 선한 것들과 실제로는 유익하지 않지만 유익하게 보이는 것들과의 충돌일 뿐입니다. 그래서 사람은 도덕적 선과 유익함의 충돌에서 고민하기보다는 유익한 것을 도덕적으로 선하게 얻는 길을 찾아야 합니다. 왜냐하면 도덕적으로 선하지 못하다는 것만큼 불명예스럽고 유익하지 않은 것은 없기 때문이죠.

도덕적 선과 유익함은 의무의 원천들입니다. 키케로에게 의무란 도덕적 선을 이루는 네 가지 덕성(지식, 정의, 용기, 인내)과 영예, 부, 건강, 관용과 호의 등을 포함하는 유익

함 및 이러한 덕의 요소들을 적재적소에서 가장 적합
하게 실현하는 삶입니다. 인간은 누구든 이러한 덕성을 잘 관리해서 훌륭한 인격으로 동료들에게 존경을 받고 나아가 가족과 친구, 지역과 사회, 민족과 국가, 나아가서는 온 인류의 삶에 평화와 복지와 번영을 실현해야 하는 의무를 안고 있습니다. 이러한 의무의 삶이 인간이 자연으로부터 받은 본연의 모습입니다. 인간은 자연 질서에 순응해 자신을 포함한 가족, 사회, 국가, 인류를 위해서 유익하게 살아야 하는 의무를 수행해야 하죠. 또 유익한 것은 무엇이든 도덕적으로 선해야 하며 동시에 형식적으로도 보기에 가장 적합해야 합니다. 키케로는 이렇게 의무의 삶을 살기를 원했고 동시에 《의무론》이란 책을 통해 먼저 이 책의 수신자인 아들에게, 그리고 나아가서는 이 책을 읽는 모든 사람에게 진정한 의무가 무엇인지 가르쳐주기를 원했습니다.

오늘날 우리는 매우 혼탁한 시대에 살고 있습니다. 정치, 사회와 문화 전반에 혼돈이 덮고 있는 듯합니다. 마치 키케로가 자신의 시대를 보면서 그러했던 것처럼 지금 우리 시대에도 많은 사람들이 도덕적 혼란과 지도자들의 부덕에 대해서 개탄하고 있습니다. 역사의 지혜는 도덕적으로 선하지 못하면 어떤 시대도 행복하지 못했고, 어떤 나라도 결코 부강할 수 없다는 것을 분명히 보여줍니다. 그래서 오늘 우리는 《의무론》을 읽어야 하는 분명한 이유를 가지고 있습니다. 권리를 인정받는 공정하고 유익한 길은 의무를 수행하는 것입니다. 그래서 키케로의 《의무론》은 오늘날 민주주의 시대에 인간의 본성을 자각하는 훈련의 관점에서 적어도 한 번은 정독해야 할 필독서입니다.

마지막으로, 키케로의 《의무론》에 대한 본문은 허승일 님이 번역한 책과 인터넷을 통한 영어 번역본, 라틴어 본문 몇몇 부분에서 참고로 하였음을 밝힙니다.

윤지근

의무와 도덕을 다시 생각해 보는 시간

현재 나에게 해당하는 의무는 무엇일까요? 가족과 사회의 일원으로서의 의무, 학업에 관한 의무, 회사 업무에 관한 의무, 연예에 관한 의무, 부부 간의 의무, 친구 간의 의무……. 이런 일들에 의무감을 갖고 있다는 것은, 누군가와 함께하는 데 있어 원만한 관계 유지를 위한, 또는 그 일을 깨뜨리지 않고 잘 할 수 있도록 하려는 마음에서 드는 것이겠지요? 나아가 '발전했으면 좋겠다.' 라는 마음도 함께 말이죠.

키케로도 그런 마음의 시작으로 《의무론》을 썼을 것입니다. 모든 사람이 자신의 의무를 지키며 더불어 살아갈 수 있도록 말이죠. 그는 아마 도덕적인 의무를 가진 사람이면 누구나 행복하게 살 수 있는 로마가 되길 희망하며 펜을 들었을 겁니다.

지금 우리 사회에서도 '도덕' 이란 바로 그런 의미가 아닐까요? 정말 옳은 일, 사람으로서 해야만 할 일 등 절대적으로 타당한 것들의 잣대로서의 가르침일수도 있겠지만, 모든 사람이 더불어 행복하고 안락하게 사는 데 필요한 예의와 의무도 꼭 필요한 부분입니다.

이 책을 읽으실 독자여러분들도, 책장을 덮는 순간 '아, 도덕이
란 이런 것이구나.' 하고 자유롭게 생각해 보셨으면 합니다. 그리고
너무 앞선 이야기지만, 얻은 교훈으로 발전을 가져왔으면 하는 바람입니다!

끝으로 좋은 글을 써주신 작가님, 곁에서 힘내라고 응원해준 가족과 친구들 그리고
끝까지 믿고 기다려주신 모해규 교수님께 감사드립니다.

권오영

| 차 례 |

제1장 《의무론》은 어떤 책일까?

《의무론》은 키케로가 62세가 되던 해인 기원전 44년경에 3부작으로 쓴 철학적 편지를 묶은 책이야.

난 키케로!

영어로는 《On Duty》, 우리말로는 《의무론》으로 번역되었고,

하이!

On Duty

의무론

개인적인 의무에서부터

우리 역사는 당연히 독파해야!

한 사회나 공동체 그리고 인류와 자연의 일원으로서

마땅히 가져야 하는 삶의 자세에 대한 도덕적 교훈을 다뤘어.

즉 잘 살기 위한 방법을 일러 준 책이지.

의무론

《의무론》은 그리스에서 유학 중인 아들에게 보내는 편지 형식으로

아들아!

인간으로서, 시민으로서, 또는 정치가로서 마땅히 가져야 할 '도덕적 성품'에 대한 내용을 담고 있어.

사실 '의무'에 대한 책을 쓰는 건 학자로서의 기본에 속해.

유명한 철학자들이 이에 대한 책을 쓰는 것은 당연한 일이야.

책 이름이 같네!

내 책이 최고!

<플라톤>   <칸트>   <아리스토텔레스>   <스피노자>

의무는 아주 중요한 문제이며, 개인적인 것만은 아니라 할 수 있어.

의무

나의 삶은 나에서 끝나는 것이 아니라

내가 속한 집단과 사회, 나아가 세계와 전체 자연 질서와 연결되어 있으니 말이야.

그러므로 '무엇이 선이며, 어떻게 살아야 선한 삶인가?'란 문제는 언제 어디서든 중요해.

심지어 우주에서도.

한 개인의 삶을 포함해

삶

공동체와 사회를 위한 공동의 선과 이익에 대한 질문으로 발전해 가기 때문이지.

예를 들면

나는 우리 가족을 위해 어떻게 살아야 하지?

방청소나 해.

내 친구를 위해 어떻게 살아야 하지….

매일 떡볶이를 쏴!

우리 동네를 위해 어떻게 살아야 하나?

우리 동네는 내가 지킨다!

나는 민주사회 시민으로 어떻게 살아야 하지?

난 인류를 위해서 어떻게 살까?

나아가서 전체 자연의 질서 안에서 무엇을 하고 어떻게 살아야 하는가? 뭐 이런 것들이지.

그런데 무엇이 바르고 선한 것이며, 어떻게 살아야 바르고 선하게 사는 것일까?

?

출발!

위인들은 의무에 충실한 사람들이었다고 말할 수 있어.

자신에게 주어진 의무를 다했기에

장군!

나의 죽음을 적에게 알리지 말라….

국민들의 존경을 받는 거지.

나도 언젠가는 너와 함께.

자신의 의무를 다하는 사람은 주위로부터 칭찬을 받게 돼.

저번에 비해 점수가 많이 올랐어요!

잘했구나!

학교에서 배우는 《바른 생활》이 주로 의무에 관한 내용인 것도 이 때문이지.

그러니까 《의무론》은 키케로가 가르치는 바른 생활의 길이라 할 수 있어.

키케로의 《의무론》은 서양에서는 아주 유명한 책이야.

오! 《의무론》!

팬이에요. 사인 좀!

공자나 맹자가 우리나라와 일본 등 동양의 역사에 많은 영향을 준 것처럼 말이야.

영국 신사라는 말 들어본 적 있지?

I'm a gentleman!

《의무론》은 영국 신사가 되기 위한 교과서이기도 했어.

당신도?

당연.

실제로 《의무론》은 영국에서 로마의 다른 고전들보다 더 많이 번역되고 읽힌 책이야.

두고 보자.

초대 교회 시대에 키케로는 의로운 사람이라고 인정받았어.

따봉♪

그가 기독교인이 아니었는데도 말이야. 키케로는 예수보다 100년 이상 먼저 태어난 데다 기독교가 생기기 전에 살았던 사람이니까.

십자가? 예수?

몰라. 그게 뭐야?

키케로는 스토아학파*에서 많은 영향을 받았어.

《의무론》도 스토아학파의 계명에 근거하고 있고 말이야.

*스토아학파 – 기원전 3세기 초에 제논이 창시한 그리스 철학의 한 학파.

스토아학파는 고대 로마에서 가장 영향력 있는 학파이며,

아주 윤리적이고 도덕적인 학파였지.

그래서 서양사에서 기독교와 함께 도덕적이고 윤리적인 면에서 큰 역할을 했어.

스토아학파의 가르침 중 중요한 것이 '자연법 사상'이야.

자연법 사상이란 자연 질서에 따라 사는 삶을 말해.

봄이면 꽃이 피고, 여름엔 만물이 푸르게…

가을엔 곡식이 익고, 겨울엔 눈이 오지.

자연은 위대한 선생님이니까.

자연이 부여한 본성에 따라 사는 게 가장 좋아.

만인이 평등하다는 것도

자연법 사상의 중요한 가르침이야.

사람은 모두 동등하게 태어난다는 것을 자연이 가르쳐 주니까 말이야.

390년경 초대 교회의 교부인 암브로시우스*는 말했어.

이 책은 비록 기독교인이 쓰지 않았으나

교회가 가르치기에 합당하다!

의무론

그래서 많은 초대 교회 지도자들도 읽었다고 해.

대단해! 훌륭해!

*암브로시우스 Ambrosius(340~397) – 가톨릭교회의 교부. 밀라노의 주교로, 뛰어난 설교가였다.

예를 들면 초대 교부들 중

나 제롬도!

나 어거스틴도 읽었지.

중세 가톨릭 시대에 가장 탁월한 신자인 토마스 아퀴나스**도 읽었다고 해.

아마도 이 책의 도덕적 권위 때문 아니겠어?

**토마스 아퀴나스 Thomas Aquinas(?1225~1274) – 스콜라 철학의 대표자 가운데 한 사람이다.

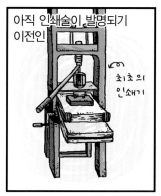

아직 인쇄술이 발명되기 이전인

최초의 인쇄기

15세기 중엽에 쓰인 필사본***이 세계 곳곳에 700권 정도 남아 있어.

인쇄술이 발명된 뒤엔 《성경》 다음으로 가장 많이 인쇄되었지.

성경

의무론

***필사본 – 손으로 써서 만든 책.

내 책이 얼마나 많이 읽히고 중요히 여겨졌는지 알겠지?

의무론

도덕적·윤리적 교훈이 《성경》 다음으로 권위를 가졌단 증거라 할 수 있어.

의무론

16세기 들어 르네상스 시대의 가장 위대한 사상가인 에라스뮈스*와

종교 개혁 시대의 유명한 신학자 멜란히톤**은

키케로의 《의무론》을 문고판 크기로 만들었다고 해.

오, 아담해서 들고 다니기 편하군.

*에라스뮈스 Erasmus(1466~1536) – 네덜란드의 인문학자.
**멜란히톤 Melanchton(1497~1560) – 독일의 신학자, 종교 개혁자. 루터의 종교 개혁 운동에 협력한 인문주의자.

그 이유는 이래.

이 책의 내용은 너무너무무너~무 중요해!

이런 책은 누구나 손에 들고 다니며 읽어야 해!

1456년에는 스페인어, 1488년에는 독일어 등 여러 나라 언어로 번역되기 시작했지.

안녕!

Hallo

Hola

18세기에는 영국 신사들의 필독서가 되었고

밥은 굶어도 《의무론》은 못 굶어!

같은 세기, 프랑스 계몽주의자 볼테르***도 《의무론》을 읽었지.

어느 누구도 이보다 현명한 책은 못 쓸 거야.

뿐만 아니라 유명한 독일 철학자 칸트****도

뭐야?

키케로의 《의무론》을 주의 깊게 읽었어.

***볼테르 Voltaire(1694~1778) – 프랑스 계몽기의 사상가.
****칸트 Immanuel Kant(1724~1804) – 독일의 철학자. 《순수이성비판》, 《실천이성비판》, 《판단력비판》 등의 저서가 있다.

독일의 계몽 군주 프리드리히 대제는 《의무론》을 극찬했지.

이 책은 도덕에 관해 지금껏 썼던,

또 앞으로 쓰일 책들 중 최고다!

다시 새롭게 번역해!

이미 두 권이나 번역판이 있는데….

이 정도면 《의무론》이 서양 역사에서 어떻게 평가되고 있는지 짐작 가지?

불쑥

미국 독립 운동가 토마스 제퍼슨*은

키케로에 대해서 공부를 많이 했다고 해.

그래서 1776년, 미국 독립 선언문을 작성하면서 키케로의 자연법 사상과 인간 권리의 신성불가침을 언급하기도 했지.

독립 선언문
-자연법 사상
-인간 권리의 신성 불가침

*토마스 제퍼슨 Thomas Jefferson(1743~1826) − 미국의 정치가, 제3대 미국 대통령.

독일의 유명한 정치가인 비스마르크**도 《의무론》에 반했어.

정치가가 되고 싶은 사람은

키케로의 《의무론》을 반드시 읽어라!

그리고 오늘날 독일 대학에서는 라틴어 강의를 할 때 이 책을 많이 사용해!

**비스마르크 Bismarck(1815~1898) − 근세 독일의 정치가. 부국강병을 써서 1871년에 독일 통일을 완성하였다.

훌륭한 문체에 좋은 내용이기 때문이야.

나보다 좋은 책이 있을까?

하지만 낭만주의 시대에는 위기를 맞기도 했어.

왜냐하면 낭만주의는 이성에 대한 반항으로 생겨난 운동이거든.

왜 꼭 원칙대로 살아야 하나!

이성은 스토아학파에서도, 키케로의 《의무론》에서도 아주 중요한 개념이야.

이성을 배재 한다는 건….

앙꼬 없는 찐빵! 치즈 없는 피자!

이성은 자연의 질서를 형성하는 본성이며 가장 근원적인 원리이기 때문이지.

자연이 뿌리 내린 땅처럼!

그러나 낭만주의는 감정을 앞세워 모든 이성에 반대했고

저리 가!

이성

키케로의 《의무론》도 목록에서 삭제됐지.

키케로 《의무론》

읽지 마!

이 때문에 오늘날 학생들이 《의무론》을 제대로 알지 못한다고 생각하는 사람들도 있어.

《의무론》? 그게 뭐예요? 새로 나온 게임인가?

《의무론》의 기본 내용은 어떻게 도덕적으로 선한 일을 하는 시민이 될 수 있는가 하는 거야.

도덕

좋은 시민들이 자유롭게 사는 좋은 나라가 키케로가 생각하는 공화국이었어.

현실에 비해 너무 이상적이지만 그는 굳게 믿고

로마는 그런 공화국이어야 해!

공화국의 실현을 위해 생애 내내 노력했지.

로마

그러나 불행하게도 키케로에게는 그런 이상 사회를 실현할 정치 권력이 없었어.

로마

정치가

기본적으로 키케로는 인간이든 신이든 똑같이

그 본성에 따라 자연 질서, 즉 자연법의 다스림을 받는다고 믿었어.

자연법에 따르면 모든 존재는 자연 본성에 따라 자유롭고 평등하거든.

자유로운 권리가 존재할 수 없는 곳에서는

자연 질서가 유지되지 못하고,

도덕 가치가 부패해 불법과 고통이 생기지.

정치 권리가 존재하지 못해 독재 국가가 된다면

도덕 가치는 인정되지 못한 채 부패하게 돼.

즉 독재 국가는 자연 질서에 합당한 국가가 아닌 도덕이 부패한 국가란 말이지.

왜냐하면 독재는 자연의 본성에 거스르는 것이니까.

이제 내가 왜 그렇게 공화국에 열광했는지 알겠지?

물론 키케로가 말하는 공화국이 오늘날의 민주주의 사회만큼 발전한 것은 아니지만 말이야.

키케로의 《의무론》에는 우리에게 낯선 시대적 예들이 많이 나와.

그러나 고대 로마 역사를 연구하는 사람들에게는 아주 유익해.

아! 그랬구나.

고대 로마에 이런 일들이!

키케로가 우리에겐 낯선, 옛날에 있던 예들을 들며 의무에 대해 설명했기 때문에

내용을 단번에 제대로 이해하기는 어렵지만,

주의 깊게 천천히 읽다 보면 그렇게 어렵지 않아.

철학책은 무조건 어렵다는 생각을 버려!

《의무론》은 3부작이야. 즉 세 권의 책으로 이루어졌단 말씀!

난 도덕적 선에 대해 말해.

난 유익함에 대해!

난 도덕적 선과 유익함의 상충에 대해 말하지.

제1권과 제2권은 스토아학파의 계명에 의존해 파나이티오스*가 취급한 문제를 다루고,

바로 내가 파나이티오스.

제3권은 파나이티오스가 완성하지 못한 채 남겨 둔 '도덕적 선과 유익함의 상충'에 대해 자신의 생각을 서술하고 있어.

완성할 수 있었는데….

*파나이티오스 Panaitios(?B.C.180~?B.C.109) – 고대 그리스의 철학자.

즉 《의무론》은 키케로가 완전히 독창적으로 쓴 책은 아니야. 뼈대는 대충 파나이티오스가 만들었으니까.

나한테 감사해!

자, 그럼 파나이티오스에 대해 알아볼까?

오잉?

파나이티오스는 그리스 출신의 스토아학파 철학자로, 기원전 180년에서 기원전 109년까지 산 사람이야.

내가 기원전 106년에 태어났으니까….

자네가 태어나기 3년 전에 죽었지.

파나이티오스는 후에 로마에 살면서 스토아 철학을 로마에 맞도록 만든 사람이야.

스토아학파는 원래 불행이나 위험 등의 문제에 초연하고,

어머…! 미안해요.

괜찮소.

현실의 부도덕을 피하려는 도피적 성격이 강하거든.

띠용

부도덕

이런 스토아학파의 소극적인 삶을 파나이티오스가

관용, 도량, 자선 등 적극적으로 전환시켰지.

소극적 적극적

즉 로마인의 삶에 맞도록 스토아 사상을 새롭게 한 거야.

관용 도량 자선 스토아학파

파나이티오스는 그의
《의무론》에서

도덕적 선에 대해서,
유익함에 대해서

그리고 도덕적 선과 유익함의 충돌,
이 세 가지 경우를 다루고 있어.

그는 첫 번째와 두 번째 문제를
세 권의 책으로 완성하고,

음!
훌륭해!

세 번째 문제를 뒤에 다시
다루기로 한 채 미완으로
남겨 두고

내일 하지 뭐.

결국 완성하지 못했어.

헉!

결국 이 세 번째 문제를 키케로가
세 번째 책에서 자세히 다루고 있는 거지.

그만!

키케로는 첫 번째 문제와
두 번째 문제에서

파나이티오스의 설명이 완전하지
않다고 생각했어.

모자르군…

그래서 첫 번째 도덕적 선에 대한
연구에서

도덕적 선들 사이에 비교라는
부분을 첨가했어.

두 번째 문제에서도 유익함
사이에 비교라는 문제를 첨가했지.

이제 《의무론》이란 책을 간단히 살펴보자!

《의무론》에서 다루는 첫 번째 주제는 바로…

'도덕적 선'이야.

첫 번째
도덕적 선

사람의 행위가 도덕적이고 명예로운가? 혹은 비도덕적이고 불명예스러운가?

다음으로, 도덕적이고 명예로운 것 중 어느 것이 더 도덕적이고 명예로운지에 대한 문제를 다뤘어. 이것이 제1권의 내용이야.

도덕
명예

두 번째 주제는 '유익함'이야.

두 번째
유익함

사람의 어떤 행위가 생활의 편리함이나

시원해.

재물이나 건강, 사회적 영향력이나 권력을 가져다주는지 하는 거야.

콜록콜록!

마찬가지로 유익하다고 생각되는 것들 중 어느 것이 더 유익한가 하는 질문에 대해서 논하고 있어.

어느 것이 더 좋을까?

이것이 제2권의 내용이야!

세 번째

도덕적으로 선하다고 인정되는 것과
유익한 것으로 인정되는 것 사이에서 충돌이 생긴다면?

헥헥

세 번째 주제는 이거야!
엄청 길지? 이 문제에
대해 논하는 것이
제3권의 내용이지.

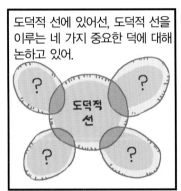

도덕적 선에 있어선, 도덕적 선을
이루는 네 가지 중요한 덕에 대해
논하고 있어.

? ? 도덕적 선 ? ?

바로 '지식'과 '정의',

지식!

정의!

'용기'와 '인내'이지.

난 날 수 있다!

조금만 더 기다리면…

앞으로 이러한
덕에 대해서 하나
씩 살펴볼 거야!

우선 간단하게
말하자면
다음과 같아.

지식 정의 용기 인내

지식은 진리를 이해하는
것이고,

아하! 파인
애플은 풀에서
자라는구나.

파인애플 도감

정의는 인간 사회와 그 질서 유지에
대한 것,

쳇!

용기는 고귀하며 굴복하지 않는
강한 정신에 대한 것이고,

더… 덤벼!

인내는 관용과 절제, 온유를 만들어 내는 힘에
대한 것이야.

야

참자….

따라서 《의무론》은 도덕적 선을 이루는 네 가지 덕을 중심으로

이 덕에서 생겨나는 여러 가지 의무들을 말하고 있고,

개인이 살고 있는 시대나 지위, 능력에 따라 나타나는 도덕적인 모습들에 대해 말하고 있어.

또한 《의무론》은 유익함에 대해서도 말하고 있어.

도덕적 선을 기초로 해서 삶을 성공적으로 실현하기 위해

유익함을 어떻게 추구할 것인가에 대해 말이야. 도덕적 선 자체와 실제적 삶에서의 유익함은 서로 다를 수도 있으니까.

이 돌은 피라미드에 안 맞아!

오! 딱 이 돌이군.

우리의 삶에서 도덕적인 선과 유익함 사이에 충돌은 있을까? 없을까?

2 라운드

도덕적 선

유익함

유익하기는 한데, 도덕적으로 선하지 않으면 어떻게 해야 하는지의 문제 말이야.

저 땅을 얻으면 우리 백성이 잘 먹고 잘살 수 있어.

하지만 그러려면 전쟁을 해야….

키케로의 입장은 확고해.

그럴 일 절대 없음!

도덕적으로 선하지 않은 것이 어찌 유익할쏘냐!

그러니까 이것은, 충돌의 주장에 대한 반박이라고 보면 돼.

도덕적 선 VS 유익함

그러한 갈등이나 충돌은 겉보기에 그렇게 보일 뿐이고,

실제로는 충돌이 결코 있을 수 없다는 것이 키케로의 생각이니까.

저렇게 보여도

싸우는 게 아니란 거지.

예를 들면 우리가 물질적 이득을 얻는다 해도,

도덕적 선의 가치나 정의감을 잃는다면 유익함이 없다는 것이지.

바나나 도둑이다!

이크…! 도망가자!

물질적 이익이 정의나 도덕적 손실을 보상해 주지는 않으니까.

순 날강도!

착하게 봤는데…!

도덕성을 희생한다는 것 자체가 회복할 수 없는 가장 큰 손실이거든.

못 된 놈

나쁜 사람

도둑

헉!

도덕적 선을 희생하면 아무 유익함도 얻을 수 없기 때문이지.

키케로의 《의무론》에 나오는 가르침들은 아주 실용적이야.

의무론

그가 말하는 의무란, 결코 추상적이고 이론적인 개념이 아니야.

추상

이론

이 점이 스토아학파와 크게 다른 점이지.

스토아 학파

의무론

키케로는 금욕적이고 현실도피적인 스토아학파를 현실적이고 적극적인 실천 이론으로 변화시켰지.

변해라, 얍!

스토아 학파

키케로는 주로 스토아학파의 입장을 따르고 있어.

그러나 스토아학파의 사상을 그대로 옮긴 것은 아니야.

스스로 판단해 자신의 목적에 맞는 것을 필요한 만큼 가져왔거든.

난 껍질과 씨는 필요 없어.

우리가 하는 공부에서도 이런 습관은 중요해.

무엇이든 배운 것을 그대로 따라하기 보다는 자신의 것으로 만드는 것이 중요하지.

으아악! 이번 시험에서 꼴등 하겠어!

점수는 중요치 않아!

자신의 삶을 풍요롭게 하고 행복을 가져다주는 것이 진짜 공부 아니겠어?

키케로는 공공의 활동과 분리된 도덕적 선에 대해서는 못마땅하게 생각해.

공공의 활동

도덕적 선

인간은 사회적 동물이니까.

그래서 인간은 다른 사람과 함께 살아야 하는 법이지.

다른 사람의 삶의 복지에 기여해야 하는 의무도 있고 말이야.

그러므로 의무에 대해 바르게 아는 것이 중요해.

의 무

키케로는 《의무론》에서 아들에게

아들아!

자연과 지혜를 따라서 쾌락과 방탕을 멀리하라고 가르쳤어.

같이 놀자~!

됐거든.

쾌락과 방탕을 추구하며 자신의 삶을 낭비하는 것은

더불어 살고 있는 동료들에게 해야 할 의무를 포기하는 것이나 마찬가지니까.

악을 행하는 것만이 죄가 아니라, 선을 행하지 않은 것도 죄가 된다는 뜻이지.

아~! 그렇군요!

철학적 주제들이 많이 있지만,

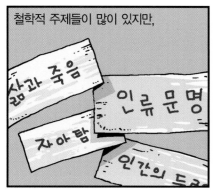

그중에서도 의무에 대한 것만큼 실생활에서 관심 대상이 되는 것은 없는 것 같아.

사실 우리는 공적이든 사적이든

직장에서나 사업에서나 가정에서나

혼자거나 다른 사람과 함께 있거나

어떤 경우라도 살아 있는 동안 의무와 분리된다는 것은 불가능하니까 말이야.

의무는 도덕의 문제이고,

어떻게
지나가지…?

도덕은 철학의 가장 중요한 주제야.

어떻게 사는 것이 바르게 사는지를 대답해 주지 못하는 철학은 철학이라고 말할 수 없어.

어떻게
살아야?

음…

이런 점에서 키케로는 진정한 철학자라고 할 수 있지.

제2장 키케로는 어떤 사람일까?

혹시 키케로라는 이름 들어 본 적 있어?

빼빼로라면 모를까, 키케로는 처음인데?

새로 나온 과자가…?

냠

키케로는 아주 오래전 로마에 살았던 사람이야.

짜잔!

그것도 아주 유명한 사람으로 영국 신사의 원조라고 할 수도 있어.

키케로는 고대 로마의 정치가요, 변론가요, 철학자였어.

의무론

로마 문화사에서 가장 다재다능한 정신의 소유자들 중 한 사람으로,

그가 쓴 책은 로마 고전에서 최고 중 하나라고 여겨지고 있지.

이번에 키케로가 낸 신간 봤어?

그럼! 역시 최고더군!

고대 그리스와 로마는 오늘날 서양 사회의 정신적 고향이야.

로마
그리스

키케로가 고대 로마의 철학자요, 법률가요, 정치가라는 것을 보면

法

서양 사회의 정신에 많은 영향을 끼친 사람이란 것을 잘 알겠지?

서양 사회

또한 키케로는 로마 시대 최고의 연설가로 통하지.

철학자라 아는 것도 많고 공부도 많이 하고…

변호사라 법도 잘 알고 말도 잘하니

당장 정치해도 되겠네!

그런데 키케로는 이런 재능뿐만 아니라 인품도 아주 훌륭한 사람이었어.

완벽하군, 정말….

재주만 갖고는 한 나라를 이끄는 좋은 지도자가 되기 어렵지. 재주보다 인간됨이 중요하니까 말이야.

낑낑

國

재주

훌륭한 지도자는 능력뿐만 아니라 훌륭한 인품도 있어야 하는군요!

콤

《의무론》이란 책을 쓴 것만 봐도 키케로가 어떤 인품을 가진 사람이었을지 짐작할 수 있어.

의무론

키케로가 살았던 시대는 고대 로마에서
혼돈과 권력 투쟁이 지배하던 격동의
시대였어.

이름만 들어도 잘 아는
유명한 시저*,

카이사르라
고도 하지.

아우구스투스 왕이라고 알려진
옥타비아누스와 그의 정치적
라이벌 안토니우스**

*시저 Julius Caesar(B.C.100~B.C.44) – 로마의 군인, 정치가.
**안토니우스 Marcus Antonius(B.C.82~B.C.30) – 로마의 장군, 정치가.

이집트의 전설적인 미인
클레오파트라***까지 모두
이 시대에 살았던 사람들이야.

키케로는 이러한 정치적 격동의
세월 속에서 부패와 타락, 내분과
무질서, 혼란이 가득한 로마를

정의롭고 살기 좋은 공화국으로 다시
재건하려는 열망을 가졌던 사람이야.

로마

***클레오파트라 Cleopatra(B.C.69~B.C.30) – 이집트 프톨레마이오스 왕조 최후의 여왕.

키케로는 기원전 106년 1월 3일에
로마에서 100여 킬로미터 떨어진
아르피눔에서 태어났어.

으앙~

로마

아르피눔

100km

아르피눔은 원래 로마에 속한
곳이 아니었어. 말도 라틴어가
아닌 '볼션어' 라는 말을 사용했지.

??

아르피눔   로마

그러나 기원전 188년에 아르피눔
사람들이 로마 시민권을 얻은 뒤부터

쾅

오늘부터
로마 시민

아르피눔 사람들은 주로 라틴어를 사용했어.

재미교포들이
우리말보다 영어를
쓰는 것과 같네요.

그렇지.

이런 이유로 키케로는 라틴어로 훌륭한 책을 많이 집필할 수
있었고, 로마 고전 문학에서 최고의 저자 중 하나가 되었지.

이 시대에 로마의 교양인들은 그리스어와 라틴어를 동시에 말할 수 있는 게 보통이었어.

나 같은 교양인이라면 2개 국어쯤이야!

우리도 공부 좀 한다고 하면 영어쯤은 할 줄 알아야 한다고 생각하잖아?

we can't promise one won't ever.....

뭐…?

한때 영국에서도 상류층은 영어보다 프랑스어를 더 좋아했고,

마드므 아젤~

므시외~

로마에서도 배운 사람들은 라틴어보다 그리스어를 더 좋아했어.

철학이나 여러 문화적 관점에서 그리스어가 더 편리했기 때문이지.

이런 것은 문화가 전파될 때 생기는 자연스러운 현상이야.

문화

오늘날 우리 생활에서 쓰는 많은 것들이 영어에서 온 말이란 것을 생각해 보면 쉽게 이해가 되지?

키케로도 당연히 라틴어는 물론이고 그리스어도 잘했어.

키케로가 태어난 아르피눔에서는 그리스어를 초등학교에서부터 가르쳤기 때문이지.

라틴어 라틴어 라틴어 라틴어 라틴어라 틴어 라틴어 라틴어 라틴어라틴어라 라틴어 라틴어라 틴어 라틴어 라틴어라 라틴어 라틴어라 라틴어 티어

쏼라

그리스어 그리스어 그리스어 그리스 그리스어 그리스어 그리스어 그리스 그리스어 그리스어 그리스어 그리스 그리스어 그리스어 그리스어 그리스어

쏼라

그 뒤에 그리스 수사학을 공부하였는데

수사? 범인 수사?

그게 아니라,

연설이나 웅변에서 말을 아름답게 쓰는 방법을 연구하는 공부야.

그 당시 유명한 웅변 선생님들 대부분이 그리스 사람들이었기에 키케로는 그리스 공부를 아주 많이 했지.

아하!

그리고 뒤에 자신이 배운 그리스어를 이용해 많은 그리스 철학의 개념을 라틴어로 바꾸기도 했어.

모두가 읽기 쉽게 라틴어로 바꾸면 라틴어가 발전할 거야.

다른 나라 말보다는 우리말이 중요하니까!

여러분도 영어 공부를 열심히 해서 영어로 된 어렵고 좋은 말들을 쉬운 한글로 바꿔서

우리나라 사람들이 편히 쓸 수 있도록 도와주는 사람이 되었으면 좋겠어.

키케로가 살던 당시 로마에서는 흔히 말하는 '출세'의 길이 두 가지였어.

억울하면 출세하든가.

바로 군인이 되거나 법률가가 되는 길이었지.

인류의 역사 속에서 쉽게 발견되는 아주 분명한 사실이 있는데,

그건 바로, 인간이 전쟁을 엄청나게 많이 했다는 것이야.

그러고 보니 우리나라만 해도…

전쟁이 없는 시대에 태어난 걸 고맙게 생각하라고.

6.25 (한국전쟁)

병자호란

임진왜란

오늘날에 태어나 살아가는 여러분은 우리 역사에서 가장 행복한 세대라 할 수 있을 거야.

전쟁이 많은 시대에 가장 쉽게 출세하는 길은 군대에 들어가서 공을 세우는 일이겠지?

이자가 이번 전쟁에서 적의 수장을 물리친 자이옵니다.

그대의 공을 치하 하노라!

그래서 로마 시대에도 군인이 되는 것이 출세하는 방법이었어.

자! 자! 줄을 서시오~.

군인모집

또 하나의 길은 법률가가 되는 것인데

로마는 내 손안에 있소이다.

법 전

변호사가 되어 법정에서 훌륭한 변론을 하는 것이 돈도 많이 벌고 빨리 유명해질 수 있었거든.

알다시피 로마는 법으로 유명한 나라잖아.

法

로마에 가면 '로마법'을 따르라는 말이 있는 것처럼, 고대 로마는 법이 아주 발달한 나라였고 소송도 많은 나라였어.

좋아! 누구 것인지 법대로 하자고!

원래 잘 사는 나라일수록 소송이 많은 법이거든.

대체 누구 것이죠?

그런 사소한 일로… 한두 번도 아니고 피곤해!

그만큼 개인의 권리를 중요하다고 인정하기 때문이 아닐까?

아무리 사소해도 그들에게 중요한 문제일 수도 있으니~

힘들어도 어쩔 수 없지.

그러므로 법정에서 변론하는 것은 아주 중요한 과제였고, 법률가로서 좋은 변론은 명성을 얻는 좋은 길이었던 거야.

당신이 먼저 주웠으니 당신 것이 맞소.

감사합니다! 이게 없었다면 굶었을 거예요.

쳇, 아깝다.

법정에서 좋은 변론을 하려면 말을 잘해야 한다는 것은 상식이겠지?

에… 그러니까 그… 저…

당신, 그렇게 해서 날 변호할 수 있겠어?

어버버…

그래서 말을 잘하는 데 필요한 공부를 했던 거야.

철학

수사학

논리학

꼭 독파할 테다….

키케로는 법률 공부를 해서 법정에서 변론하는 길을 택했고

훈련을 하느니 공부를 하는 게 낫지.

핫!

변론가로서 유명해졌지. 말이나 연설을 잘한다는 것은 인생에서 아주 유익한 것이야.

이번엔 제 변호를 좀 해 주세요!

저부터!

키케로의 집안은 지방 귀족이었지만 로마 원로원과는 아무런 유대가 없었어.

아버지는 기사.

어머니는 평범한 가정주부.

원로원이란 오늘날의 미국 상원의원과 비슷한 곳으로

국가의 중요한 문제를 논의하고 결정하는 로마 정치 기관이야.

왕을 도와주는 고문 역할도 하지.

원로원 회원은 세습하는 경우도 있었지만 주로 중요 가문 출신의 부자들이 했어.

부자가 아니면 하지도 말란 거냐!

그래서 키케로는 부지런히 노력하여

여러 분야를 통달해 내가 제일 뛰어나다는 걸 보여 주겠어!

원로원 회원이 되었지.

이런 걸 두고 자수성가*라 하는 거지.

*자수성가 – 물려받은 재산 없이 혼자 힘으로 집안을 일으키고 재산을 모음.

키케로라는 이름은, 그의 코 끝이 갈라진 것이 이집트 콩을 닮았다 하여 지어진 것이래.

코 좀 봐요.

거 참 특이한 코일세!

또 '키케로'라는 이름을 가진 그의 조상에게서 유래한 것이라고도 해.

나랑 코가 똑같네.

조상님

로마의 역사학자 플루타르크*에 따르면 키케로는 전 로마의 주목을 받는 아주 재능있는 학생이었어!

모두 키케로를 본받도록!

키케로는 시를 좋아해 젊어서는 직접 시를 짓기도 했어.

오~ 새여, 너는 어찌하여 새인가~.

?

그리스의 호메로스**를 번역하기도 했고,

옆집 키케로는 번역한다는데 넌 여태 뭐한 거니?

우엥~.

*플루타르크 Plutarch(?46~?120) **호메로스 Homeros(B.C.800~?B.C.750) – 유럽문학 최고 최대(最古最大)의 서사시 《일리아스》와 《오디세이아》의 작자.

기원전 90~기원전 80년경에는 철학에 몰두했어.

철학은 키케로 삶에 큰 영향을 준 학문이었어.

철 학

앞에서도 잠시 말했지만 그리스 철학을 로마에 소개하기도 하고,

그리스 철학

라틴어로 새로운 철학 용어를 만들 정도였으니까.

기원전 87년경, 아카데미라는 학교 교장이 로마를 방문했어.

뭐? 플라톤이 세운 학교의 교장이 로마에 왔다고?

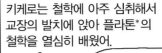

키케로는 철학에 아주 심취해서 교장의 발치에 앉아 플라톤*의 철학을 열심히 배웠어.

냄새가 좀 나지만 참자….

심지어 그는 플라톤을 자신의 신이라 불렀다고 해.

*플라톤 Platon(?B.C.428~?B.C.347) - 고대 그리스의 철학자.

키케로가 플라톤을 가장 칭찬했던 부분은 도덕 정치의 신중함이었어.

철학적 내용보다는 윤리적 내용을 더 평가한 셈이지.

도덕

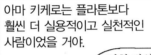

아마 키케로는 플라톤보다 훨씬 더 실용적이고 실천적인 사람이었을 거야.

몇천 번의 말보다 한 번의 실천이 중요해.

탕탕

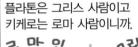

플라톤은 그리스 사람이고 키케로는 로마 사람이니까.

로마인   그리스인

키케로는 스토아학파에게서 많은 영향을 받게 돼.

스토아

스토아학파는 로마 사람들에게 아주 인기가 있었어.

저길 봐! 스토아학파야.

자기 통제와 자기 절제, 의지력을 중요시한 로마인들에게 큰 호소력이 있었기 때문이지.

참아야 하느니라.

스토아 학파

스토아학파의 가르침은 금욕적이고 도덕적인 삶의 자세를 기본으로 하거든.

스토아 학파   금욕 도덕

이런 스토아학파의 자연법 사상은 뒤에 만민법이라고 부르는 로마법에도 많은 영향을 남기지.

만민법

호메로스의 《일리아스》에는 이런 말이 나와.

항상 최고가
되고 남보다
훨씬 뛰어나라.

-호메로스

내가
지었지만
정말 멋진
말이야.

이 말이 어린 시절 키케로의 꿈이었다고 해.

1등!

'소년들이여, 야망을 가져라.'는
말 자주 들어봤지?

Boys, be ambitious!

야망

키케로는 어려서부터 아주 큰
야망을 가졌어.

두고 봐. 뭔가 대단한
사람이 되어 세상을
놀라게 할 거야.

위대한 사람이 되려면 그만한 경력이
요구되는 법이잖아?

나로 말할
것 같으면
적의 수장을
격퇴한 공으
로 왕께 친히
하사를 받은
몸이지.

그래서 키케로는 잠시 군대에
복무했었는데

하 앗

오긴 왔는데…
생각보다
별로다.

죄다
몸 쓰는
일뿐이잖아.

그만둘래.

지적이고, 평화주의자였던 그는 군대 생활이나
스포츠에 그다지 매력을 느낄 수 없었어.

당연한 일 아냐?

흥!

평화주의자에게 전쟁은 아주 혐오스러운 것이니까.

함께 해요.

전쟁

절대 싫어!

씩

기원전 83년경에 키케로는 법률가로서의 삶을 시작해.

변호사로서의 첫 변론은 아버지 살해 혐의자 로스키우스*를 변호하는 것이었어.

부모님 살해 혐의라니… 중범죄인데.

전 억울해요!

*로스키우스 Roscius(?B.C.126~?B.C.62) – 고대 로마의 배우. 노예 출신이었으나 배우의 소질을 보여 자유의 몸이 된 뒤, 희극·비극에서 재능을 발휘하여 키케로의 찬사를 받았다.

키케로가 이 사건의 변론을 맡은 것은 불리한 일이었어.

상황이 너무 안 좋아.

당시 키케로는 로마 법정에 잘 알려지지 않았고,

중범죄자 변호인이 키케로라는데, 누군지 알아?

께케로?

사건에서 키케로가 살인자로 지목한 사람은

범인은 바로 당신이야!

술라**란 이름의 독재자로, 키케로를 어렵지 않게 죽일 수 있는 힘이 있었어.

뭐라고! 이 건방진 놈이!

**술라(?B.C.138~B.C.78) – 고대 로마의 장군 겸 정치가.

그러니 아주 용기 있는 일이었지.

난 할 수 있다! 이자의 유죄를 입증할 수 있다!

그 손 당장 치우지 못해?

키케로의 변론은 대성공이었어. 술라의 독재에 대한 간접적 항거나 다름없었지.

술라 유죄!

두고 보자!

그의 변론이 술라의 독재에 대한 잠재적 분노의 표현이었기 때문이야.

독재의 말로는 늘 비참할 뿐.

하지만 이러한 방식의 용기와 변론이 그의 건강과 미래에 위험으로 나타나기도 해.

후에 키케로는
아테네를 여행하면서

친구 아티쿠스(Atticus)를 만나,

오!
친구여!

그를 통해 그리스 철학 모임에
참여하지.

앞에서 플라톤의 아카데미에 대해
이야기했지?

아카데미는 구 아카데미와
신 아카데미로 나누어지는데

아카데미

구
아카데미

신
아카데미

학파가 생각과 관점의 차이에 따라
올드(Old)와 뉴(New)로 나누어지게
된 셈이지.

OLD   NEW

키케로의 철학적 관점은
신 아카데미에 가까웠어.

OLD?   New?

갑자기
뭐 이리
복잡해져.

대충 이 정도로
하자. 너무 신경쓰지
않아도 돼.

다음에 자세히
공부할 기회가
오겠지.

어려운 것도 자꾸
들으면 친숙해지고
쉬워지거든!

키케로는 아테네에 머물면서 수사학에 대한 수업을
하게 되고,

또 이 공부는 뒤에 그의 연설 스타일에 영향을 주었어.

키케로가 로마로 돌아온 뒤 그의 명성은 높아졌어.

시실리에 머물면서 아르키메데스*의 무덤도 발견했지.

기원전 75년경, 키케로는 시실리의 재무 행정에 책임을 지고 재정을 돕는 로마 관직에서 일하게 돼.

*아르키메데스 Archimedes(?B.C.287~B.C.212) - 고대 그리스의 자연 철학자.

그는 아주 정직하고 성실하게 일했고

많은 사람들이 감사의 표시로 그의 고객이 되었지.

그 당시 시실리 통치자 베레스는 아주 악명 높은 폭군이었어.

시실리 주민들은 키케로에게 기소를 부탁했고,

더 이상 못 살겠어요!

키케로는 폭군 베레스를 변론한 당대 유명 변론인 호르텐시우스**를 상대로 성공적인 법정 변론을 해.

결국 유죄가 입증된 베레스는 추방당하고

추방!

**호르텐시우스 (B.C.114~B.C.50)- 로마의 웅변가, 정치가.

호르텐시우스는 물러나게 되지.

그런 폭군을 위해 변론하다니, 나 떠날 테야!

그래도 키케로와 호르텐시우스는 서로 친구였다고 해.

괜찮네! 당신은 맡은 바 최선을 다한 것뿐이야!

키케로는 이 변론 뒤에 로마의 최고 연설가라는 명성을 얻었어.

아름다운 밤이에요!

키케로의 조상 중에는 별로 대단한 사람이 없었어.

변호사로서 명성이 대단하기에 좋은 가문 출신인 줄 알았는데.

의외야.

그의 집안은 기사 계급으로 중간 계층이었거든. 서민 계층이라고나 할까?

아버지가 기사 출신이거든.

오늘날처럼 당시에도 조상들 중 유명인이 많으면 좋은 가문으로 인정되어 출세에 도움이 많이 되었지.

우리 집은 4대째 의사 가문.

키케로는 로마 공화국이 흔들리는 불확실한 환경에서 자랐어.

로마

그가 살던 시대는 로마가 공화국에서 제국으로 이동해 가는 시기였거든.

공화국 제국

삼두 정치의 시대였고, 유명한 독재자 시저도 이 당시 인물이야.

이런 시대에는 독재자들이 권력을 잡기 위해 주로 선동 정치를 하지.

독재자

저를 지지해 주시면 매일 고기를 드시게 해 드리죠!

앞서 등장했던 독재자 술라도 내전에서 승리한 뒤 로마 공화국의 기본 가치인 자유의 토대를 무너뜨리고

독재자

쩌적

독재를 정당화하기 위해 법을 바꿨지.

내 맘대로 한 것 하나도 없다. 다 법대로 한 것 뿐이야.

법전

키케로는 인기에 영합한 선동 정치에 가담하기 싫었어.

공화국 개혁만 생각해도 하루가 모자란데

저런 선동에 놀아날 시간은 더더욱 없어!

그러나 공화국을 위한 재주와 비전이 뛰어났는데도,

공화국

중간층인 그에게 권력의 기반이란 쉽게 얻을 수 있는 것이 아니었어.

어디서 서민놈이 정치를 하려 들어! 나가!

그럼에도 기원전 63년경, 키케로는 자신의 노력으로 집정관, 즉 로마의 속주를 다스리는 높은 관직에 오르게 돼.

그대를 로마의 집정관으로 임명하노라!

집정관으로 근무하는 동안 카틸리나*란 사람이 로마 공화국을 전복하려는 시도를 훌륭하게 막아 내.

순순히 항복하시지!

이… 이럴 수가!

*카틸리나(?B.C.108~B.C.62) - 고대 로마 공화정 말기의 정치가.

그리고 탁월한 연설로 카틸리나를 추방시켜 버려.

로마

추방!

뻥

카틸리나는 내부에 잔당을 남겨 두고 뒤에 새로운 혁명을 시도하려고 했지만

키케로는 그들에게 전달된 밀서를 붙잡아 추궁하여 모든 죄를 원로원에서 자백하게 하는 데 성공했지.

원로원은 사법 기관이 아니라 다양한 입법에 대한 자문 기관이기 때문에

법에 의거해 형을 내릴 수 없었지.

그래서 시저는 주장했어.

해당 음모자들에게 군법을 적용시켜

이탈리아 여러 곳에서 종신형을 살게 함이 어떻겠소?

하지만 카토**는 사형을 주장했고 모든 원로원도 이에 동의했어.

이건 반역입니다! 무조건 사형!

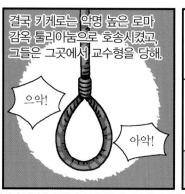

결국 키케로는 악명 높은 로마 감옥 툴리아눔으로 호송시켰고, 그들은 그곳에서 교수형을 당해.

으악!

아악!

그러나 로마 시민을 정당한 재판 없이 사형했기에 뒤에 키케로는 어려움을 겪게 되지.

나의 비극적 스토리는 잠시 뒤에 이야기해 줄게.

흐윽.

**카토(B.C.95~B.C.46) - 고대 로마 공화정 말기의 정치가. 공화정이 전통을 유지하며 시저와 대립을 이루었다.

기원전 61년경, 시저는 폼페이우스*, 크라수스**와 함께 이른바 제1차 삼두 정치를 시작하게 돼.

시저
자네들! 나와 함께 정치를 해 보지 않겠나?
크라수스
폼페이우스

삼두(三頭)란 머리가 셋이란 말이니 삼두 정치는 세 명이 함께 다스리는 제도란 거지.

1 2 3

*폼페이우스(B.C.106~B.C.48) - 고대 로마의 장군, 정치가.　**크라수스(B.C.115~B.C.53) - 고대 로마의 장군, 정치가.

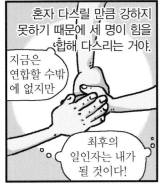

혼자 다스릴 만큼 강하지 못하기 때문에 세 명이 힘을 합해 다스리는 거야.

지금은 연합할 수밖에 없지만

최후의 일인자는 내가 될 것이다!

결국 제1차 삼두 정치에서는 시저가 이겼어.

월계관은 내 것!

그가 최고가 되었으니까.

이런 일이 두 번 있었는데 먼저 있던 것을 제1차 삼두 정치라고 하지.

그들은 키케로를 네 번째로 초대했지만

안 해!

삼두 정치는 일인 독재를 부르는 과정이었기에 키케로는 거절했어.

누누이 말하지 만

공화국

질끈

내가 원하는 건 공화국뿐!

키케로의 예상대로 결국 시저가 권력을 장악하게 되면서 제1차 삼두 정치는 막을 내렸어.

웅성

그 잔인무도한 시저?

웅성

앞으로 무서워서 어떻게 살지?

자, 그럼 앞의 이야기를 이어서 해 볼까. 로마 시민을 정당한 재판 없이 처형한 자는 누구든 추방해야 한다는 법이 나중에 생겼어.

당신도 그랬지?

추방하자!

키케로는 폼페이우스와 집정관들의 지지를 얻으려 노력했지만

제발 추방만은 면하게….

뜻을 이루지 못하고 결국 기원전 58년경, 추방당했어.

그는 그리스 테살로니카로 추방당했고,

로마

테살로니키

키케로가 이탈리아 400킬로미터 이내는 접근하지 못하게 하는 법도 새로이 통과됐지.

접근 금지!

이탈리아

400km

그의 재산은 몰수당하고 집은 파괴되었어.

키케로는 원로원과 법관들이 자신을 시기해 추방시켰다는 생각에 깊은 좌절에 빠졌어.

어떻게 나한테 이럴 수 있어…!

친구인 아티쿠스에게 보낸 편지에 죽고 싶다는 자신의 심경을 표현했어.

아티쿠스에게

하루하루가 지옥 같아. 하늘은 어째서 내게 이런 가혹할 수 있을까. 정말이지 죽고 싶어.

아티쿠스와 그의 아내는 큰 돈을 모아 추방당한 키케로를 돌아오게 하려 노력했고

이 정도 돈이면 보석으로 풀려날 수 있어!

불끈!

기원전 57년 8월 5일, 사랑하는 딸의 환영을 받으며 마침내 키케로는 로마로 돌아왔어.

아빠!

딸아!

원로원은 그를 복권시키고, 손해를 본 그의 재산에 대한 보상도 해 주었지.

한편, 삼두 정치를 하던 시저와 폼페이우스 사이에 싸움이 날로 격해지기 시작했어.

키케로는 시저와 영원한 적이 되지 않으려고 노력하면서 폼페이우스 편을 들었어.

휙
휙

그러나 기원전 49년, 시저가 이탈리아를 침공하자 키케로는 로마를 도망쳐 나왔고,

폼페이우스 편을 들었다는 게 탄로 나면 큰일이지!

폼페이우스 진영으로 향했지. 그러나 그곳은 부패하고, 군사들의 사기도 엉망이었어.

결국 파르살루스 전투*에서 폼페이우스는 패배하고, 키케로는 다시 로마로 돌아왔지.

터벅
터벅

난 이제 죽은 목숨인가….

로마

그러나 시저는 키케로를 용서하고 관용을 베풀었어.

어서 오게!

우리 지난날은 잊고 다시 시작하세나!

멍!

*파르살루스 전투(B.C.48) – 그리스 북쪽의 도시 파르살루스에서 시저와 폼페이우스가 벌인 전쟁.

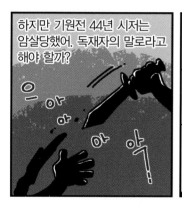

하지만 기원전 44년 시저는 암살당했어. 독재자의 말로라고 해야 할까?

으아아악

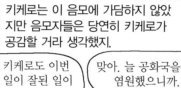

키케로는 이 음모에 가담하지 않았지만 음모자들은 당연히 키케로가 공감할 거라 생각했지.

키케로도 이번 일이 잘된 일이라 생각할 거야.

맞아. 늘 공화국을 염원했으니까.

암살자 브루투스**가 암살에 사용했던 피 묻은 단검을 들고 이렇게 외칠 정도였으니까.

키케로!

**브루투스 Brutus(B.C.85~B.C.42) – 고대 로마의 정치가.

키케로의 명성은 다시 올라갔지.

원로원은 의논을 거쳐 시저의 암살자를 사면하는 대신, 시저를 폭군으로 인정하지 않는 선에서 합의를 했어.

좋은 게 좋은 거라고….

그렇게 마무리 지읍시다!

쑥덕
쑥덕

그러나 안토니우스는 시저의 암살자에게 복수를 계획하고 있었어.

이글
이글

안토니우스는 시저 밑에서 집정관으로 일했는데

나는 원로원의 대변인으로도 일했어.

키케로와 사이가 나빴어.

저 녀석 너무너무 싫어!

뒷날 아우구스투스*란 로마 황제가 된 시저의 양자 옥타비아누스가 이탈리아로 돌아왔는데

*아우구스투스(B.C.63~A.D.14) – 고대 로마의 초대 황제.

키케로는 그의 편에 서서 안토니우스를 반대할 계획을 도모했고

두고 보자 안토니우스…

연설에서 옥타비아누스는 치켜 세우고 안토니우스는 심하게 비하하는 발언을 했지

당시 키케로는 라이벌도 없었고 최고의 명성을 날리고 있었으니까.

그거 들었어? 키케로가 말하길 안토니우스가…

그러나 안토니우스를 추방하려던 키케로의 계획은 물거품이 되었어.

안토니우스와 옥타비아누스는 화해를 하고 레피두스**와 함께 제2차 삼두 정치를 시작했거든.

그들은 적이 될 만한 라이벌들을 추방하기 시작했고 키케로와 그의 형제도 포함되었어.

그들은 나의 적, 그러므로 추방해야 해!

**레피두스(B.C.?~B.C.13) – 고대 로마의 정치가, 장군.

일설에 따르면 옥타비아누스는 키케로의 이름을 블랙 리스트에서 지우려고 이틀 동안이나 말다툼을 했대.

자네만 용서하면 되지 않는가!

딱 한 번만…

절대 어림 없지!

그러나 불행히도 키케로는 가장 심각한 사람으로 지목되었어.

지켜주지 못해 미안하네.

어떻게…! 어떻게 이럴 수가!

결국 키케로는 그들을 피해 도망쳤으나

거기 서라!

안타깝게도 붙잡혀서 기원전 43년 12월, 결국 최후를 맞게 되었지.

키케로는 머리가 잘리고 두 손이 잘려 죽었어.

안토니우스는 키케로의 머리와 두 손을 로마 광장에 내다 걸었어.

일설에 따르면 안토니우스의 아내는 밤에 키케로의 혀에 못을 박았다고 해.

탕

말 잘하던 키케로에 대한 증오심과 적에게 행할 형벌에 대한 본보기라는 뜻이지.

탕 탕 탕

그러나 이것은 곧 로마 공화정의 종말의 상징이 되었어.

공화국

그럼 키케로의 아들은 어떻게 되었냐고?

다행히도 당시 그리스에 있었기에 복수를 면했어.

아버지~!

그는 옥타비아누스가 권력을 잡은 뒤 돌아와 아시아 지역과 시리아의 총독을 지냈어.

제3장 첫 번째 이야기

도덕적 선에 대하여 1

- 지식(지혜와 예지)과 정의

《의무론》에서 첫 번째 논의는

도덕적으로 선하고 명예로운 것에 대한 것이야.

도덕적이고 명예로운 것이라면 당연히 해야 할 것이고,

기 부 함

반대로 비도덕적이고 명예롭지 못하다면 해서는 안 되는 것이야.

도덕에 대한 논의가 《의무론》의 출발점이라는 것은 당연한 일이지.

준비~

의무론

그럼 도덕적 선이란 무엇인가요?

도덕적으로 선하고 명예로운 건 또 뭐죠?

그렇게 물어볼 줄 알았지!

도덕적으로 선하고 명예로운 것에는 네 가지 덕목이 있다고 말했어.

음, 그러니까…

지식, 정의, 그리고 용기, 인내, 맞죠?

맞아! 더불어 지식에는 지혜와 예지도 포함되지.

이 네 개의 덕을 기초로 해서 의무에 대해 말할 수 있어.

지식
정의
용기
인내

'진리에 대한 인식에 따라 지혜와 지식으로 행하는 것은 의무다.'

정의롭게 행하는 것은 의무다.

위대한 정신에 따라 용기 있게 행동하는 것은 의무다.

인내를 가지고 절제하며 온유하게 행동하는 것은 의무다.'

의무란 마땅히 해야 할 것을 하는 것이라고 말할 수 있어.

그럼 마땅히 해야만 하는 것은 무엇일까?

먼저 마땅히 해야 하는 것에는 무엇이 있을까?

할머니께서 무거운 짐을… 도와드리자!

설마 도둑질을 마땅히 해야 할 일이라고 생각하는 사람은 없겠지?

도둑질은 나쁜 일이니까!

뻥!

이렇게 도덕적으로 선하고 명예로운 것에는 네 가지 덕목이 있어.

일단 네 개 중에서…

지식과 정의를 먼저 생각해 보자!

먼저 지식의 덕목에 대해 생각해 볼까?

지식의 덕목은 지혜와 예지를 포함하는 개념이야.

뭘 봐!

지혜   예지

진리에 대한 통찰과 이해를 지칭하는 말이라고 할까.

지혜   예지

진리

사실 철학이란 말은 그리스어로 필로소피아인데,

사랑을 의미하는 필로스와 지혜를 뜻하는 소피아가 합쳐져 만들어진 말이야.

필로스
+
소피아
=
필로소피아

해석하면 지혜에 대한 사랑이라 할 수 있어.

지혜

사람이 진리에 대해 공부하고 배워야 하는 것은 당연한 의무일 거야.

진   리

진리를 깨닫지 못하고서는 바른 생각과 행동을 할 수 없으니까.

진리만 깨우쳤다면 이런 꼴은…

도덕적으로 선한 것을 행하는 것을 의무라고 해.

진리를 사랑하고 추구하는 것은 도덕적으로 선한 일이고.

그러므로 진리를 사랑하고 지식을 추구하는 것도 의무가 되는 셈이지.

진   리

모든 동물은 태어날 때부터 자기를 보호하는 본능을 갖고 있어.

다가오면 할퀼 거야.

그래서 이로운 것은 더하려 하고 해로운 것은 피하지.

속을 줄 알고?

이러한 욕구를 본능이라고 불러. 먹고 마시고 종족을 보존하는 그러한 욕구들 말이야.

인간도 이런 점에서 본능을 갖고 있다 말해야겠지?

우훗.

하지만 인간은 동물과는 많은 차이가 있어.

본능에 의존해 살아가는 동물과는 달리, 인간은 뛰어난 지성과 본능을 갖고 행동하지.

그래서 옛부터 지혜를 추구하고 지식을 탐구하는 것은 이성을 지닌 인간의 특권이라 했던 것이야.

$(a+b)=cosa*cosb-sina*sinb$
$in(a-b)=sina*cosb-sinb*cosa$
$cos(a-b)=cosa*cosb+sina*sinb$......

이성은 동물이 갖고 있는 성품과 반대의 뜻이라고 보면 돼.

난 이제 죽었다!

욕심과 본능에만 치우쳐 살아간다면 그건 동물과 다름없을 거야.

이성이라고는 눈 씻고 보아도 없군.

이성은 생각하는 힘이라 할 수 있어. 신중히 생각하는 것이지.

음….

생각을 서로 비교하고 논리적으로 추리하는 것이 이성에 대한 아주 좋은 예야.

토론회

이런 점에서 수학은 아주 이성적인 학문이라 할 수 있지.

느끼는 것이 감정이라면,

안 돼, 파트라슈! 죽지 마!

비교하고 예측하고 판단하는 것은 이성의 활동이야.

그래서 때때로 이성과 감정은 서로 반대라 말하기도 해.

감정 이성

인간은 이성의 능력으로 과거와 기억들을 미래를 준비하는 데 사용하지.

작년 장마 때 큰 피해를 입은 지역이니 철저히 대비하도록!

이러한 행동을 예지 능력이라고 해.

그런 예지 말고….

지식의 덕목은 이성에게 많은 은혜를 입고 있어.

지혜 예지

이성이 자연의 본성에 따라 사회 안에서 공동의 삶을 살아가도록 결합시켜 주기 때문이지.

본능으로 결합된 동물 사회와는 달리

인간 사회는 자연이 부여한 이성이라는 탁월한 본성으로 실현된 사회거든.

이 성

이성은 나의 행복과 다른 사람의 행복이 서로 밀접하게 연결되어 있다는 사실을 가르쳐 주며,

이 성

다른 사람의 삶의 행복과 복지를 위한 배려와 책임감도 갖게 해 줘.

저녁에는 이웃에 피해가 되니 치지 말자.

왜냐하면 타인의 행복은 곧 나의 행복이 되니까.

사랑과 배려에 기초한 편안하고 건강한 공동의 삶을 살도록 하는 셈이지.

타인의 행복에 기여하며 전체 삶을 아름답게 하는 공동선*을 이루려는 노력은

이성의 요구에 부합하는 덕이야.

덕이라면 마땅히 해야겠지.

의무란 곧 사람이 사람으로서 살아가는 본분을 말하는 것이니까.

의무 의무 의무

*공동선 – 개인을 위한 것이 아닌 국가나 사회, 또는 온 인류를 위한 선.

이성의 중요한 활동은 진리 탐구야.

진 리

우리는 정신적 여유가 생기면 새로운 것을 배우고 싶어 하잖아.

여름 방학에는 테니스를 배워 볼까 해.

난 뭘하지.

단순한 호기심에서 전문 지식에 이르기까지 지식은 행복한 삶을 사는 데에 중요해.

지식의 산

옛부터 진리에 대한 갈망은 인간의 가장 소중하고 위대한 덕목으로 평가되었어.

내가 진리에 닿게 되는 날은 언제가 되려나….

배우고 지식을 얻고 진리를 이해하려는 갈망은 사람에게 더 큰 발전과 성숙을 가져다주니까.

진리의문

공자도 이런 말씀을 하셨잖아.

배우고 익히면 즐겁지 아니한가.

말하고 생각하고 행동할 때 지식은 중요한 도구가 돼.

인간은 감각의 경험과 정리된 지식으로 정신 세계를 소유하고

나아가 질서와 일관성, 아름다움을 유지하려고 해.

이러한 삶을 유지하는 데에 욕구나 충동은 방해가 되지.

욕구

욕구

그래서 예의에 어긋나는 행위를 하게 하는 욕구나 충동은 조심하게 되는 거야.

욕구와 충동을 다스릴 줄 아는 자가

흠!

진정한 신사지.

욕구

욕구

충동과 욕구를 자제하는 것은 아름답고 명예로운 일이야.

도덕적으로 선한 일이기에 욕구와 충돌을 다스리는 것도 의무에 속한다는 뜻이지.

욕구

욕구

또한 지식은 사물의 진실을 파악한 내용을 담고 있어.

파헤쳐 주마!

??

사물의 진실을 많이 아는 사람을 지식인이라고 부르잖아.

예지와 지혜로 똘똘 뭉친 것이지.

무엇이든지 바르게 알고 바른 지식을 가져야 해. 진실에 가까울수록 득이 되니까.

책에서 설명한 그대로네!

도덕적으로 선하고 명예로운 것과 행복한 생활을 위해 지식을 추구하는 것은 마땅한 일이야.

이처럼 마땅히 해야 한다고 느끼는 것들은 대체로 의무에 속해.

해야 할 것을 하지 않는 자는 분명 약하거나 게으른 사람이니까.

후아암~

이제는 정의의 덕에 대해 생각해 볼까?

아버지 최고! 멋져요~!

와!

먼저 이런 질문을 할 수 있겠지?

팟

Q. '정의' 란 무엇인가?

꽤 어려운 질문 같네요.

그렇지?

어쩌면 정의는 인간 사회에서 가장 중요한 것이라고 할 수 있어.

정의로운 사회라는 말 많이 들어봤지?

음… 그러니까.

정의로운 사회를 위하여…

신문이나 TV에서 자주 나오는 말!

맞죠?

그렇지!

그렇다면 정의롭지 않다는 것은 무엇일까?

글쎄요….

불공평하다고 느끼는 것이 아닐까?

뭐냐? 이 차이는….

불행하다고 생각하는 가장 큰 이유 중 하나가 불공평하다고 생각하기 때문이지.

내가 뭘 잘못했다고….

이건 불공평해!

불공평하다는 것은 정의롭지 못하다고 생각하니까.

일도 똑같이 했는데! 이럴 순 없어!

투닥

투닥

키케로의 말에 따르면 정의란, 부당한 해를 입지 않는 선에서 남을 해치지 않고,

선생님, 쟤가 자꾸 애들을 괴롭혀요.

이 녀석!

공공물은 공공을 위해서 쓰고,

청소하는 내 입장도 좀 생각하라고.

개인 재산은 그 사람의 것으로 인정하는 것이야.

즉 남의 물건을 탐내거나 부당하게 빼앗지 않고,

딱 걸렸어.

모두가 함께 쓰는 것은 개인을 위해서 사용하지 않는다는 내용이지.

이런 데서 자면 어떡해.

참 쉽죠?

어려운 질문에 쉽게 대답하는 것도 능력이구나….

개인 간에든 국가 간에든 이러한 기초질서만 지킨다면 삶이 훨씬 평화로워지지 않겠어?

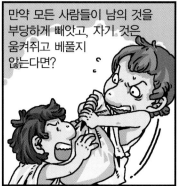

만약 모든 사람들이 남의 것을 부당하게 빼앗고, 자기 것은 움켜쥐고 베풀지 않는다면?

또 공동으로 사용하는 물건을 자기 것처럼 마구 사용한다면?

아마도 날마다 싸우고 전쟁을 하겠지.

무질서와 혼돈 그 자체지!

이제 정의가 얼마나 중요한 덕이며 왜 의무의 조건인지

정말 정의가 없다면 하루라도 살 수 없는 세상이 되겠네요.

끄덕

법의 목표와 목적이 정의라는 것은 이해가 가지? 법은 공평해야 하니까.

법

무인도에 혼자 산다면 법도 정의도 필요 없지만,

사람은 혼자 사는 것이 아니라, 다른 사람과 더불어 살고 있잖아.

자신만을 위해 사는 것이 아니라

쯧, 쯧.

자연의 질서에 따라 가족과 더불어 살아야 해.

또 친구, 나아가서 국가와 인류를 위한 행복에 기여하며 살아야 하는 법이지.

사람은 서로 도움을 주고받으며, 서로 의지하며 살도록 태어난 거야.

즉 사람은 사람을 위해 태어난 것이지.

서로 의지하는 인간이란 뜻으로 사람이란 한자를 人으로 쓰잖아.

서로 기대어서 서로 의지해서 함께 살라고 말이야.

우리 평생 함께 의지하며 살아갑시다!

여보….

사람들은 자신의 유익을 위해서 각자 타고난 재주와 재능을 사용해.

파이가 잘 구어졌네!

동시에 다른 사람의 행복에 기여할 의무도 있어. 그래야 모두가 함께 행복할 수 있으니까.

맛있겠다!

새댁, 정말 요리솜씨 끝내주네~.

공동의 선을 목표로 모두가 행복한 삶을 사는 질서를 만들어 내는 것이 정의의 덕목이야.

모두들 차례차례로!

그래서 정의는 공평한 분배와 어울리는 덕목이지.

정의로운 사회란, 기회와 재화를 공평하게 잘 분배하는 그런 사회가 아닐까?

모두가 불평 없도록 공평하게.

그럼 정의가 실현되기 위해서 가장 먼저 무엇이 필요할까?

사람을 믿는 마음이 아닐까요?

옳거니! 바로 그거야!

제가 좀 한 공부 하거든요!

믿는 마음, 즉 신의, 혹은 신용이 필요하지.

무시무시…

서로 믿을 수 없다면 약속은 아무 쓸모도 없지.

당신 말은 이제 콩으로 메주를 쑨대도 안 믿어.

서로 믿을 수 없는데 무슨 약속을 하겠으며, 또 약속한들 무슨 소용이 있겠어?

다음에 꼭 밥 사줄게.

그 말 지금 열 번째 거든?

국가 간에도 신뢰가 없다면 어떠한 조약이라도 의미가 없겠지?

끝이라 해~.

마찬가지 므니다!

그래서 인간에게 가장 기초적이고 중요한 것은 믿음과 신뢰라 할 수 있어.

신뢰

그럼 정의의 반대말은 무엇일까?

이번엔 잘… 모르겠네….

바로 불의지.

알고자 하는 것의 이해를 위해 그 반대말을 이해하면 편리하거든.

빠르다↔느리다
많다↔적다
크다↔작다
무겁다↔가볍다
뜨겁다↔차갑다

즉 정의가 무엇인지 알기 위해 불의를 알면 편리하단 말이지.

정의 ↔ 불의

불의에는 두 가지 종류가 있어.

하나는 불의를 행하는 자들의 불의이고

다른 하나는 불의를 당할 때, 그 불의에 충분히 맞설 수 있음에도 그렇게 하지 않는 불의야.

대들었다간 더 맞을 거야!

불의를 행하는 것만이 불의가 아니야.

불의를 용납하는 것도 불의지.

이것은 악을 행하는 것만이 죄가 아니라

케케!

으악!

선행을 할 수 있으면서도 행하지 않는 것도 죄가 된다는 것과 같은 이치야.

윽, 방금 앉았는데… 자는 척할까.

생활 속 필요와 즐거움을 위해 재산을 추구하는 것은 나쁘지 않아.

이 돈이면 과자가 몇 개야!

신난다!

하지만 권력이나 돈 욕심 때문에 재산을 추구한다면 불의에 빠지기 십상이지.

우하하!

또 불의한 목적을 위해 재산을 모으는 것도 불의에 속하지만

얼마 안 되지만… 앞으로 잘 부탁합니다.

불의한 방법으로 재산을 모으는 것도 역시 불의에 속해.

형이 요즘 힘들어서 그런데…

그러므로 재산도 정의로운 목적을 위해 정의로운 방법으로 모아야 해.

열심히 땀흘려 일해 모은 재산은 길 가다 주운 황금덩어리보다 훨씬 정의로운 것이 아니겠어?

자신의 노력과 재능에 따라 성공하는 것이 허락되지 않고

열심히 노력해 봤자 돌아오는 건

쓰디쓴 패배뿐.

오직 한 사람에게만 모든 기회나 권력이 독점적으로 주어진다면 정의롭다고 말할 수 있을까?

기회

권력

권력

기회

권력

당연히 아니겠지.

민주국가가 독재국가보다 더 정의로운 것은 바로 이런 이유에서야.

정의!

민주국가

독재국가

키케로는 시저가 스스로 자신을 최고의 일인자라 여기고 잘못된 고정관념에 사로잡혀 신들과 인간의 법을 짓밟았다고 말해.

법

누구든지 독재자는 정의로운 통치자가 아니야.

쩌———적

국가

정의를 배신하고 모든 권력을 거머쥔 최고가 되려는 독재자적 욕심은 누구에게나 있어.

와글

와글

권력 앞에서는 아버지와 아들도 없다잖아.

이 손 놓지, 아들?

그렇게는 못하죠, 아버지.

그렇기 때문에 그런 욕망을 막을 수 있는 정의로운 법과 제도가 필요한 것이지.

법

동작 그만!

그러한 법과 제도의 발전이 민주사회를 이룩한 동력이라 말할 수 있어.

민주사회

국가

법

이런 점에서 인류 역사는 지속적으로 정의로운 사회를 이루어가는 과정이라 할 수 있지.

그중에 가장 발전한 단계가 민주주의고.

불의 중에는 일시적으로 혹은 우발적으로 발생하는 불의도 있고,

아무도 없는 듯한데… 확 먹어 버려?

스윽

반대로 치밀하게 의도된 계획 하에 발생하는 불의도 있을 거야.

넘어져라….

물론 의도적이고 계획적인 불의가 우발적이거나 일시적인 불의보다 더 나쁜 것이겠지.

정의가 요구되는 의무라면 그 의무를 행하지 않는 것은 불의가 되겠지?

정의의 반대말이 불의라 했잖아!

흥

정의 불의

즉 의무 이행을 포기하거나 직무를 유기하는 것도 불의를 행하는 것과 같다는 뜻이지.

귀찮은데 내일 하지 뭐.

상대방에 대한 적대감, 게으름과 무관심, 나태함 때문에 의무를 행하지 않으면 불의를 행한 것과 다를 바 없지.

오늘 할 일을 내일로 미루지 말자!

더불어 사는 사람의 불행에 대해 무관심하거나 그런 사람에게 선행을 베풀지 않는다면

대체 나비는 어디로 사라진 걸까?

나비야…

어쩌라고….

이것도 정의의 덕을 행하지 않은 것이라 볼 수 있어.

불의!

진리를 탐구하는 것도 아름답고 선한 일이지만,

진리를 찾아 떠나겠습니다!

오직 진리 탐구에만 전념해 자신의 덕을 다른 사람이나 국가를 위해 사용하지 않는다면 충분히 정의로운 상태가 아니라고 키케로는 말해.

지식 좀 공유해 주지… 치사해.

터덜 더덜

공직을 맡는 것 자체도 정의로운 일인데, 자발적으로 맡는다면 더욱더 좋기 때문이지.

그러니 여행은 나중에!

지혜나 지식이 비록 아름다운 덕이지만, 정의의 덕이 함께할 때
비로소 온전히 실현될 수 있어.

키케로는 행위에서 두 가지를
정의의 기초로 삼고 있어.

첫째는 다른 사람에게 해를 끼치지
않는 것이고

캬하하!

저러면 못 쓰지.

다른 하나는 공공의 이익에 따르는
것이야.

그러므로 다른 사람에게 해를
끼치지는 않지만

조용...

공익에 기여하지 않는다면 완전히
정의롭다고 말할 수 없어.

좀 도와줄
것이지 앉만
있네.

마찬가지로 지식에도 이 원리는 적용돼.

혼자서 온 세상을 다 알면 무슨
유익함이 있겠어.

난 너무
박식하다
니까.

모르는 게
없잖아.

그 지식은 다른 사람을 위해
바르게 사용할 때 비로소 힘이 돼.

'아는 것이 힘이다.'
는 말은 원래 이런
뜻이 아닐까?

짝
짝

자기 욕심을 정당화하기 위해 법을 교활하게 해석하는 것도 불의에 속하겠지?

불만 있으면 법대로 하라고!

흥!

자기한테 유리하게 다 바꿨으면서….

권력을 연장하기 위해서든지, 자신의 이익을 갈취하기 위해 법을 교묘하게 해석하는 것은 정의롭지 못한 일이지.

크하하!

이런 일은 흔히 있는 일이지.

두둥…

뒤에서 살기가….

키케로는 복수와 형벌을 구별했어.

지익…

복수   형벌

나에게 불의를 행한 자들에게까지 정의는 지켜져야 한다고 말해!

당한 불의에 대해 복수하는 것과 정당하게 처벌하는 것은 다른 문제니까.

불의라 할지라도 법에 따라 정당하게 처벌해야지 개인 감정에 따라 복수해서는 안 되는 것이야.

복수할 거야!

그러지 마!

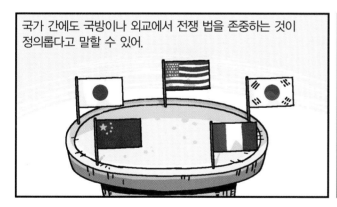

국가 간에도 국방이나 외교에서 전쟁 법을 존중하는 것이 정의롭다고 말할 수 있어.

보통 국가 간 문제를 해결하는 방법이 두 가지 있는데

협상과

무력 사용이야.

키케로는 협상은 인간에게 속하고 무력 사용은 야수에게 속하는 것이니 협상이 더 우월하다고 말해.

크하!

우리 협상합시다.

무력 사용은 최후의 불가피한 수단이라는 뜻으로 한 말일 거야.

저놈들은 더 이상 말도 안 통하는군. 전쟁이다!

전쟁 중에도 민간인 학살은 금지시켜야 하고,

핵무기나 생화학 무기 등 대량 학살 무기 사용을 금지하는 것도 정의에 속한 일이야.

나치 정권의 유대인 학살과 같은 전쟁 중의 인종 청소나

유대인들은 죄가 더러움.

미군의 이라크 포로 학대는 정의롭지 못한 일이야.

포로도 인격적으로 대우해야 하는 것이 전쟁의 규칙이니까.

로마도 승리를 거두고 난 뒤에는 적들을 보호해 주어야 하고

무력으로 정복한 사람들도 배려해 주어야 한다고 키케로는 말해.

공식적인 선전 포고나 경고 없이 이루어진 전쟁은 공정치 못한 전쟁이야.

한마디 말도 없이, 비겁하다!

내 맘이다, 크크.

전쟁도 공정한 규정에 따라 수행되어야 하는 것이니까.

올 테면 와라!

좋지!

로마법이 얼마나 탁월한지 놀랄 만한 것이 많아.

눈 부셔!

로 마 법

불가피하게 전쟁이 일어났지만, 정의로운 전쟁을 해야 하고

정의의 법대로 행동하는 것은 로마인의 자부심!

전쟁 중 적과 한 개인적인 약속도

신의에 기초해 지켜야 해.

정의는 신의에 기초하니까.

믿고 살아야지!

정의는 선행이나 호의를 베푸는 것과 아주 밀접한 관련이 있어.

선행을 하고 호의를 베푸는 것이 인간 본성에 가장 적합한 일이거든.

그러나 선행이나 호의에도 몇 가지 주의할 점이 있어.

네? 그냥 착한 일만 하면 되는 것 아닌가요?

잘 들어봐!

첫째, 받는 자에게 피해가 되지 않도록 주의해야 하고

이크!

둘째, 베푸는 자는 자신이 감당할 수 있는 능력 내에서 베풀어야 하며

일단 도와줬지만… 갈 때 차비가 없다.

감사합니다!

셋째, 각자 받을 만한 가치에 따라서 베풀어야 해.

왜 만날 쟤한테만 잘해 줘!

넌 집에 먹을 게 넘치잖아.

한마디로 상대방에 대한 배려 없이 가식이나 자기 과시로 베풀어선 안 되고

자, 어서 날 칭찬해!

베푸는 것이 오히려 그 사람에게 해가 되어서도 안 돼.

내가 도와줄게!

안 돼! 넌 사고만 치잖아.

정의의 의무는 정직하고 성실하고 지혜롭게 실행되어야 하는 거니까.

정직
성실
지혜

명예에 대한 욕심으로 베푸는 것이나

착한 일을 많이 하면 이미지가 좋아지고, 그러면 사람들이 날 지지하겠지?

자신의 능력 이상으로 과도하게 베푸는 것 등은 의무에 합당한 방식이 아니야.

오히려 반대되는 것이야.

우리 살기도 빠듯한데 다 남 주면 우린 뭐 먹고 살아요!

하지만…

또 베풀기 위해서 불공정하게 탈취한다면 이것도 의무가 아니야.

내놔! 이 돈으로 불우 이웃 돕기 할 거야!

당신 돈으로 해! 왜 남의 돈을 뺏아가!

가난한 사람에게 나누어 주기 위해 도둑질이나 강도짓을 한다면 이건 바른 의무라고 할 수 없지.

도둑이야!

또한 베풀 때에는 받는 사람에게 합당한 것을 주어야겠지.

배고파….

성적이 안 올라!

꼬르르….

배고픈 사람에게는 책을 주고 공부하고 싶은 사람에게 빵을 준다면

자요!

？？

이건 바른 호의가 아니겠지.

누굴 놀려?

장난 쳐?

또 누군가가 나에게 호의를 베풀었다면

쿠키가 맛있게 구워져서 가져왔는데, 드셔 보세요.

호의에 일관성 있는 원칙에 따라서 답해야 하는 것도 의무야.

음, 맛있네요.

받기만 하고 감사의 마음을 드러내지 않는다면 의무를 다했다 말하기 힘들지 않을까.

그럼, 전 이만 바빠서.

관대함에는 친절에 보답하는 것과 친절을 베푸는 두 가지가 있지요.

뭐요?

친절을 베푸는 것도 의무지만, 친절에 보답하는 것도 의무라는 말이죠.

네?

그러니까, 다음부터는 친절에 보답하는 사람이 되시라고요.

호엉~.

아, 네….

인간 사회는 친밀하게 결합해서

서로에게 가장 적합한 호의를 베풀고 보답할 때 유지가 가장 잘 된다는 것을 쉽게 알 수 있겠지?

서로를 신뢰하고.

서로 호의를 베풀고 감사하는 형제애를 함양해야

좋은 사회가 될 수 있는 거야.

서로가 서로를 최대한으로 이용할 수 있도록 열려져 있는 것이 인간 사회야.

이런 목적을 이루기 위해 공공 이익에 맞게 살아가는 것은 아주 중요한 의무야.

으싸

으싸

이 의무는 가족과 친척, 민족과 국가, 나아가 전 인류에 대해서도 수행되어야 하는 거야.

와글

와글

그래서 무엇보다도 공화국의 결합이 가장 소중해.

공화국

인간의 의무는 부모와 국가에 우선적으로 수행 되어야 해.

국가

왜냐하면 부모와 국가에게서 최대의 은혜를 입었기 때문이지.

너희들이 태어나면서 많은 걸 받았잖아.

친구에게도 최선을 다해야 해.

사람마다 자신이 처한 상황에 따라 의무의 수나 크기는 다르겠지만

정의의 덕을 수행하는 본질은 똑같은 것이 아닐까?

제4장 도덕적 선에 대하여 2 - 용기와 인내

이번에는 용기와 인내에 대해서 배우도록 해.

인내에 대해서는 키케로가 직접 말하는 바가 명확하지 않아서

아니 그게… 좀… 설명하기 그렇더라고. 음….

화끈…

주로 용기에 대해 말하게 될 것 같아.

용기 하면 바로 나!

간단히 말하자면 용기는 옳은 것을 굽히지 않고 행하는 불굴의 정신이고

핫!

부

부

패

정

인내는 의무를 행하는 데 따르는 어려움을 참고 견뎌 내는 것이야.

놀자!

놀자!

절제와 온유의 성품도 인내에 속한다고 말할 수 있어.

절제하고 온유한 마음을 가지려면 많은 인내가 필요하니까.

외유내강이란 말 들어 본 적 있어?

외국나감? 아저씨, 외국 나가요? 좋겠다~

외유내강!

내적으로는 용감한 불굴의 정신을 가져야 하고

무엇에도 굴하지 않는 굵은 심지!

외적으로는 부드럽고 온건하며 절제하는 성품을 가져야 한다는 말이야.

대단한 인내심이다….

이런 덕목들도 도덕적 선에 속하는 것들로 의무 이행에 중요한 요소들이지.

절제만 하고 용기가 없다면 어떨까?

무시해….

반대로 용기는 넘치는데 절제가 없다면 어떻게 보일까?

왠지 여기서 뛰어내려도 살 수 있을 것 같아!

야!!

절제와 용기는 함께 필요한 덕이야.

용기와 인내, 온유와 절제를 함께 다루는 것이 편리하지.

인내 없는 용기는 분노에 속하고, 반대로 용기 없는 인내는 포기를 말하는 것이야.

이젠 끝이야….

참기만 하면 용기가 없는 것처럼 보이고,

시끄럽다고 말하면 화내려나….

꺄르르~

참을성이 없는 용기는 객기처럼 보일 수 있겠지?

위대한 정신에서 비롯된 용감함은 이해가 쉬울 거야.

더 큰 정의를 위해 자신의 사소한 이익이나, 경우에 따라선 자신의 생명까지도 기꺼이 포기하는 사람들을 생각해 봐.

이 한 몸 기꺼이 바치리!!

그런 사람을 우리는 위인이라고 하지.

우리의 역사에는 많은 위인들이 있어.

그들의 공통점은 고난의 시대에

정의와 공공의 이익을 위해 용기 있게 일을 했다는 것이지.

아무리 그들이 강대국일지언정

절대 조선을 넘겨줄 순 없다!

만약 자신의 이익이나 욕심을 위해 싸운다면 누가 그런 것을 참다운 용기라 말할까?

저놈들 때문에 내 재산을 다 날릴 순 없지!

썩 물러가지 못할까!

그래서 키케로는 스토아 사상의 가르침에 따라 정의가 형평을 위한 덕이라고 말해.

어느 한쪽으로 치우치지 않게 말이야!

정의가 없는 나라는 결코 도덕적으로 선한 나라가 될 수 없을 테니까.

지식에도 정의가 필요해. 정의가 결여된 지식은 지혜가 아닌 간사함일 거야.

지식을 악용해 무지한 사람에게 사기를 친다든가 말이지.

플라톤도 이렇게 말했어.

공익에 근거 하지 않는 용감한 자세는 용기가 아냐.

뻔뻔함이지.

정의의 덕이 없으면 공정성을 기대할 수가 없을 거야.

네 빵은 내 것. 내 빵도 내 것.

무식하면 용감하다는 식의 용기는 진정한 용기가 아니야.

막무가내 정신일 뿐이지.

그런데 정신의 위대함을 추구하 다가 까닥 잘못하면 최고가 되려는 과욕에 빠질 수 있어.

위대하려는 사람이 빠지기 쉬운 함정이지.

용감하고 위대한 정신을 추구하다 자신이 특출하다고 생각하면 금방 유일한 지배자가 되려는 야심에 빠져 버리지.

로마는 내 거야!

이런 사람은 선거 등의 공공의 정의로운 결정을 받아들이기보다는

이딴 건 다 필요없어!

힘으로 지배자가 되길 바라는 경우가 많아.

나보다 센 놈 있으면 나와 보라 그래!

이런 사람을 독재자라고 부르지.

독재자의 행위는 결코 용기도 아니고 진정한 의무의 실행도 아니야.

정의가 요구하는 형평의 덕을 이룰 때 진정한 용기가 되니까.

그래서 용기도 절제와 인내가 필요한 법이지.

불의를 행하는 자보다는 불의를 거부하는 자가 더 용기 있는 자라 말할 수 있어.

난 불의를 보면 못 참아!

치이익

강도와 경찰을 비교해 봐.

도둑은 자신의 욕심을 채우기 위해 목숨을 걸지만

경찰은 정의를 지키기 위해 생명을 무릅쓰잖아.

그러나 참으로 위대한 용기를 가진 사람은 따로 있어.

오잉?

내가 아니었어?

야심이 크면 클수록, 명예욕도 커져서

위대한 사람이 되고 싶어….

그럴려면 역시 왕이 돼야겠지?

쉽게 불의를 저지르고 싶은 충동에 사로잡히는데

도둑이야!

그러한 야심을 거부하고

뻥

야심

참된 본성이 가르치는 대로 도덕적 선의 의무를 실현하는 사람이 진정 위대한 용기의 소유자지.

헤헤.

참된 본성

잘했어!

참된 용기를 가진 사람은 일반인과는 생각이 조금 달라.

그런 사람은 도덕적으로 명예롭고, 자연과 인간의 본성이 합치하는 것 외에는

낑 낑

자연

인간 본성

어떤 것도 참되고 가치 있는 것으로 생각하지 않거든.

이것보다 더 가치 있는 게 있으면 나와 보라고 해.

욕심과 야심을 뒤로 한 채 항상 참된 명예를 추구해.

흥!

그래서 아부하거나 뇌물을 주거나 받지도 않고

난 뇌물 같은 건 안 받거든!

외적인 유혹이나 협박에도 굴하지 않아.

소용없지!

비록 고난과 위험이 따르더라도

조금 더 가면 정상이야….

성실하고 부지런히 진리의 삶을 추구하지.

만세! 정상이다!

이익이나 욕심에 따라 사는 사람을 보통 소인배라고 부르잖아.

다른 사람이 뭔 상관이야? 나만 잘 되면 되지.

그런 소인배들은 진정한 용기를 두려워해.

나 살기도 바쁜데 남을 어떻게 도와.

자신에게 손해가 되거든.

막말로 저 사람들 구하다 내가 죽으면, 책임질 거요?

그러나 진정한 용기는 세속에 물들지 않고 꿋꿋한 정신으로 살아.

소인과 위인의 차이는 바로 이거지.

뭐얏?!

소인배

즉 소인배들은 사소한 것에 목숨을 걸고

지우개 좀 빌려줘.

싫어!

용기 있는 사람은 정의로운 의무에 최선을 다해.

공포에 굴복하지 않는 것만이 참된 용기일까?

더, 덤벼!

??

아니야. 공포에 굴복하지 않더라도 탐욕과 쾌락에 빠진다면 참된 용기가 아니야.

헤롱

헤롱

깡패들의 만용을 참된 용기라 하지는 않잖아.

세상에 무서울 게 있을쏘냐, 안 그러냐!

예, 형님!

돈과 재물에 대한 욕심은 항상 조심해야 해.

돈이 없다고 해서 돈을 벌려고 너무 애태우지 말고

생활고

한푼이라도 더 벌어야 해.

돈이 많다면

이게 바로 돈방석일세~

그 돈으로 어렵고 힘든 사람을 위해 자선과 관용을 베풀라고 키케로는 말해.

몇 푼 안 되지만 받으세요.

감사합니다!

의무를 행하는 것이야말로 참된 용기니까.

욕심과 유혹을 버리고 정의를 따라 사는 것은 참으로 힘든 일이지만,

참자, 참자.

그렇게 살았을 때에 비로소 용기 있는 삶이 되는 거야.

참된 용기는 인내, 절제, 온유함을 가진다고 했잖아?

절제 인내 온유함

슬픔, 고통, 분노와 같은 마음의 병에서 벗어나

아름다운 품위를 지키는 것 또한 용기 있는 모습이야.

용기에는 정말 많은 것들이 포함되어 있군요!

그렇지.

실패해도 좌절하지 않고 성공해도 교만하지 않는 것이 용기 있는 사람이 의무를 행하는 모습이야.

고귀한 용기를 갖고 의무를 행하는 사람은 세상일에 매여 슬퍼하거나 분노하지 않거든.

또 게으르고 나태하지도 않지.

본받으렴.

그러면 용기의 덕을 실현하는 것이 단지 위인들에게서만 가능한 것일까?

그렇지 않아.

우리 같은 평범한 사람도 그렇게 살 수 있어.

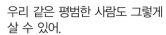

단지 위인에게서는 그것이 보다 분명히 나타나기에 예로 드는 것 뿐이야.

대한 독립 만세!

조용히 못해?

많은 사람들이 일상 생활에서 용기의 덕에 따라 의무를 행하며 살고 있어.

용기

용기

용기

용기

민주 시민으로서 법과 질서를 지키며,

원칙과 규칙에 따라 자신의 직무를 행하는 사람들도

참된 용기를 갖고 있는 사람이라 할 수 있어.

용기
용기
용기
용기

규칙을 어기고 자기 욕심을 이루고 싶은 유혹은 누구에게나 있으니까.

먹고 싶다….

나가지 마시오

전쟁에서 승리한 자들보다 오히려 평화를 지켜내는 자들이 더 용기 있는 자들이야.

NO WAR

NO WAR

전쟁보다 평화가 분명히 더 소중한 가치니까 말이야.

싸워서 이기는 것보다

와!

와!

싸우지 않고 설득하는 것이 훨씬 더 용기 있는 행동이고 의무의 정신이라 생각되지 않아?

악을 행하는 것도 불의이지만

케케케케….

악을 물리치는 행동을 거부하는 것도 역시 불의에 속한다고 앞에서 얘기했지?

도와주세요!

나랑은 상관없는 일이야.

불의를 물리치기 위해 최후의 수단으로 싸움을 선택할 수밖에 없다 하더라도

더 이상은 지켜볼 수 없어!

싸우기 전에 불의를 굴복시킬 수 있다면 더욱 좋지 않을까?

다시 한 번 생각해 보시오.

그래서 '펜은 칼보다 강하다.'고 말하는 거야.

승리!

뎅강!

80 의무론

용기는 불굴의 정신이라고 말했지?

난 무섭지 않아!

그런 만큼 도덕적 선은 육체적 힘에 의해서가 아니라 정신적인 힘에 의해서 실현돼.

메롱

참자….

메롱

누가 뺨을 때리면 맞서 싸우는 것이 용기 있는 행동일까?

아이고!

아니면 다른 뺨도 내어 주는 것이 용기 있는 행동일까?

이왕이면 밥풀을 많이 묻혀서 이쪽 뺨도….

대부분 다른 뺨을 내어 주는 것이 더 용기 있다고 생각할 거야. 그렇게 하기가 더 어렵거든.

너라면 그렇게 할 수 있겠니?

아프게 왜 또 맞아요?

육체의 힘은 싸워서 이기는 데 만족하겠지만

청코너 승!!

정신의 힘은 참을 수 있을 뿐만 아니라 부드러운 마음으로 용서할 수도 있어.

멋진 승부였어. 다음에는 내가 이길 테니 각오해!

대단해요! 저 같으면 분해서 참을 수 없을 것 같은데.

복수보다 용서가 더 큰 용기라는 걸 인정할 수 있겠지?

그렇기에 전쟁을 통해 이기고 정복하는 것보다

와!

와!

도덕적 선을 통해 설득하고 굴복시키는 것이 더 훌륭한 용기야.

전쟁이 최선이라 생각한 제가 잘못했습니다.

아닐세.

이번 기회로 깨우치지 않았나. 그걸로 됐네.

바른 의무란 인류의 참된 가치를 실현하는 목표를 갖고 있어.

그러니까 군인들만이 나라를 지키는 게 아니야.

바르고 참된 정신으로 의무를 행하는 시민들도 나라를 지키는 사람들이라고 할 수 있지.

보디가드가 따로 있겠어?

한 나라의 힘은 물리적인 힘에만 있는 것이 아니야.

군사력이 다가 아니라는 이야기야.

오히려 진정한 힘은 도덕적 정신에 있다고 말할 수 있지.

개인이든 조직이든 국가든 도덕의 부패는 곧 멸망을 의미하거든.

이것이 역사가 가르쳐 준 큰 교훈이지.

무모하게 무기를 들고 싸우는 것은 짐승의 모습이야.

돼지다!

도시를 점령하고 파괴할 때도 무모하고 잔인하지 않도록 해야 해.

퇴장!

쳇~.

혼돈과 무질서 가운데서 죄인을 벌하되, 다수를 보호해야 하며

뻥

재산을 정직하고 명예롭게 유지하는 것은 바른 용기를 가진 사람의 의무야.

열심히 일하고 돈도 받고 보람 있는 일이야!

용기의 덕도 정의의 덕에 따라 실현해야 해.

공정하지 않으면 어떤 것도 정의로울 수 없거든.

부자가 되고 싶으면 열심히 일하라고!

흥!

국가를 위해서라면 돈과 목숨도 아깝지 않다고 큰소리치는 사람들이 흔히 있어.

와 아 아 아

나라를 위해 기꺼이 한 목숨 바치리!

옳소!

그러면서 자신의 명성에 조금이라도 흠이 가면

저 사람들 죄다 폭도란 소문이 자자해!

뭐? 폭도?

쩌적

국가의 이익과 관계가 있는데도 절대로 용납하지 않으려고 하지.

크음…

순 모순덩어리!

플라톤은 국가의 공무를 맡고 있는 정치가나 공무원들은

사리사욕을 떠나 항상 시민의 이익과 복지를 염두에 둠과 동시에

힘드시면 언제든 찾아오시오.

그 유익함이 국민 전체에게 골고루 돌아가도록 살펴야 한다고 했어.

옳은 말이지?

국가 결정이 일부 계층에게만 혜택을 준다면 결코 정의롭지 못한 일이니까.

아이고~ 우린 뭐 먹고 살라고.

정의롭지 않은 행동은 결코 용기 있는 행동이 될 수 없어.

너희들은 필요 없어!

국가

키케로가 살았던 로마는 많은 내전으로 소요와 불안이 있었어.

와!

어떻게 조용한 날이 하루도 없냐.

부와 권력을 추구하는 사람들 사이에 전쟁과 분쟁이 잦던 시대였거든.

그렇기에 정의로운 지도자를 더 열렬히 바랐지.

이대로는 안 돼! 매일 이렇게 전쟁을 하다 가는 로마는 곧 패망할 거야.

공화국의 지도자가 되려는 사람은 국가 전체를 보살피기 위해서 자신의 목숨도 바칠 준비가 되어 있어야 해.

그 정도야 기본이지!

그뿐만 아니라

에잉? 더 있어?

정의와 명예를 지키기 위해서라면, 아무리 큰 손해도 감당할 준비가 되어 있는 사람이어야 해.

통치자 되기 참 어렵네….

파…

그렇기에 《의무론》은 국가의 지도자가 되려는 사람에게는 절실히 요구되는 책이지.

자! 이 책을 읽으면 도움이 많이 될 걸세!

오!

물론 《의무론》은 모든 시민들에게도 요구되는 것이야.

설마 피해 가려는 생각은 아니겠지?

아무리 내가 온화함과 관대함을 가졌다 할지라도

온화함

관대

국가와 조직의 기강과 질서를 위해 공평무사하고 엄격해야 해.

아니, 왜 나까지?

공과 사는 엄격해야 하거든.

마찬가지로 처벌할 때에는 결코 분노가 개입되지 않도록 해야 해.

으~ 열 받는다!

참아.

즉 개인적 만족을 위한 화풀이가 아닌 국민과 시민의 복지를 증대하는 데 목적을 두고 행동해야 한다는 말이지.

그래, 공은 공이고 사는 사니 참자….

또 죄보다 벌이 더 무거워서도 안 되겠지?

죄

벌

쿵

같은 죄에 대해 누구는 벌을 받고 누구는 그냥 넘어가는 식으로 한다면 불공평하니까.

넌 석방!

넌 징역 2년!

그리고 처벌할 때는 절대로 화를 내어서는 안 된다고 해.

너… 이놈!

왜냐하면 과대와 과소 사이에서 중용을 잃게 되거든.

크아―

사형! 무조건 사형!

사과 하나 훔쳤을 뿐인데?

공무는 항상 형평의 원리에 따라 공평히 수행되어야 하는 법이거든.

재판장님!

그 사과밭 내 것이란 말이야! 어디서 감히!

네가 사과 키워 봤어?

키케로는 부와 권력에 눈이 먼 사람들이 서로 싸우는 혼란의 시대에

국가와 국민의 평안을 생각하는 용기 있는 사람을 기대하면서 살았어.

언젠가는 지도자가 나타날 거야.

어쩌면 자신이 그런 사람이 되고 싶었을지도 몰라.

드… 들켰나?

뜨끔!

그는 독재자들에 맞서 로마 공화국의 이념을 지키려 했으니까.

두근 두근

지식과 정의, 용기와 인내라는 도덕적 선은 키케로가 기대하는 지도자의 필수 덕목인 셈이지.

지식

용기

정의

인내

덕과 유익을 실현하는 의무의 정신은 그가 바라는 참된 공화국 시민의 이상이었으리라 생각해.

제5장

데코룸에 대하여

이번에는 데코룸(decorum)에 대해서 알아보자.

데… 뭐요?

생소한 단어지? 우리말로 바꾸기 어려워 그냥 라틴어를 그대로 사용했어.

데코룸은 《의무론》에서 호네스툼과 함께 쓰는 아주 중요한 말이야.

호네스툼 (Honestume)

데코룸 (decorum)

호네스툼?

호네스툼이란 도덕적 선을 가리키는 라틴어야.

원래는 '선함' 혹은 도덕적으로 훌륭한 것을 가리키는 말이야.

오

쓱쓱

데코룸은 키케로가 그리스어의 prepon을 번역한 말이라고 해.

Decorum = Prepon

'고유한' 혹은 '적당한', '적합한'이란 뜻으로 영어의 proper에 해당되지.

동지!

Decorum   PrePon

즉 데코룸하다는 것은 어떤 상황에서 가장 적합한 말씨나 모습, 행동을 이르는 말이야.

으음…

이해가 잘 안 되는데… 우리 말로는 번역이 안 되나요?

우리 말로는 정확한 표현을 찾기 힘드네.

그러니까… 감정이나 표현, 말과 언어, 의식과 행동 등에서 가장 적합한 상태랄까….

끄응!

서, 설명하기가 좀 어렵네….

뜨아~!

덜썩

일단 어떤 상황에서 할 수 있는 가장 참되고 칭찬할 만하고, 적당하고 합당한 말이나 몸가짐 또는 행동이라고 알아두렴.

뭐… 예로 들 만한 건 없나요?

오, 그렇지!

재산에 대한 데코룸을 예로 들어보자. 세 가지 정도 말할 수 있는데

첫째, 재산을 늘리더라도 결코 더러운 방법을 통해서 늘리지 마라.

크크크….

도둑이야.

둘째, 재산을 관리하되 지혜와 근면, 절약의 정신으로 증대시켜라.

땡그랑 한 푼~ 땡그랑 두 푼~

묵직

셋째, 가급적 많은 사람들을 위해 재산을 사용하도록 하라.

셋 다 도덕적으로 선한 일들이네요.

그렇지. 데코룸 하기 위해선 반드시 도덕적으로 선해야 하거든.

도덕적으로 선하지 않으면 결코 적합하거나 합당하지 못하기 때문이야.

안 돼!

딱!

도덕적으로 선한 것은 데코룸하기 위한 첫째 조건이야.

1번!

데코룸

도덕적 선

그렇기 때문에 도덕적으로 선해야 일단 데코룸으로 인정할 수 있어.

어서 오세요~

데코룸

도덕적 선

신중한 행동은 신중하지 못한 행동보다 더 데코룸하고,

둘 중에 어떤 게 더 나을까….

대충 사!

참고 인내하고 절제하는 것이 분노하여 미쳐 날뛰는 것보다 더 데코룸해.

크아아~!

후다닥

그렇지만 역시, 이런 설명보다는 직감적으로 느껴야 이해가 쉬워.

Fee ling

우~

말로 설명하긴 어렵지만, 보고 느끼고 알 수 있는 것들이 많잖아?

기쁨과 슬픔을 말로 설명할 수 있어?

에….

그럼, 도덕적 선에 속하는 네 가지 덕에 기초해 데코룸을 생각해 볼까?

지식
정의
용기
인내

공적인 임무를 공평하고 정대하게 수행하는 것은 편을 가르고 부당하게 수행하는 것보다 데코룸해.

많이들 드세요!

정직한 아이는 거짓말하는 아이보다는 더 데코룸해.

오늘 성적표 나왔지?

아직….

시험에서 다른 사람의 답안지를 보는 행위는 데코룸하지 못한 행동이겠지?

불—쑥

다른 사람에게 친구의 잘못을 흉보는 것도 데코룸하지 않아.

쟤가 어제 글쎄 이불에 지도를 그렸대.

진짜?

이제 대충 데코룸이란 말을 어떤 경우에 사용하는지 이해가 되지?

네!

의무론

영화에서도 주인공은 주인공처럼 행동해야 더 데코룸하게 느껴져.

남자 주인공 멋지다!

아니. 뒤에 있는 애가 주인공이야.

대체 어딜 봐서 쟤가 주인공이라는 거냐?

감독한테 물어 봐.

연극이나 소설 속 등장 인물들도 그 역할에 따라 데코룸하게 묘사되지.

기사면 기사답게!

공주면 공주답게!

사람의 신체가 각각 조화를 이루어 균형미와 우아함을 보여 주는 것처럼

생활 속에서도 생각과 말, 행동이 조화와 질서가 있어야 데코룸하겠지?

言 行 一 致

우리집 가훈은 말과 행동이 일치 해야 한다는 뜻에 서 언행일치지.

그리고 데코룸한 행동을 할 때에 동료를 비롯한 주변 사람들에게서 많은 동의와 동감을 얻을 수 있어.

정의는 타인에게 해를 끼치지 않은 것이며,

짐 들어 드릴까요?

고마워요 슈퍼맨!

겸손은 다른 사람의 감정을 상하게 해 모욕감을 느끼지 않게 하는 것이라 말할 수 있어.

이 인형 정말로 네가 만들었다고? 대단하다!

별것도 아닌데유~.

그렇기에 겸손하게 행동하는 것은 오만하게 행동하는 것보다 데코룸한 것이야.

승!

겸손

오만

자연이 우리에게 부여한 품성대로 이성에 따라서 판단하고,

으으응….

정의롭고 용감하고, 참고 절제하면서 행동하는 것은 인간의 정신적 의무야.

용기

정의

절제

또 이러한 의무를 잘 수행하는 것은 데코룸한 행동이고

조금만 더…!

의무

데코룸에 대하여

인간은 이중적 본성을 갖는데, 하나는 욕망이고 다른 하나는 이성이야.

이성으로 욕망을 잘 다스려서

앞으로 잘해야 해.

응, 응!

무모하고 부주의한 행동을 항상 금하고 오직 도덕적 선에 따라서 행동한다면 이것은 데코룸한 것이야.

놀자~

안 돼! 따라 가지 마!

데코룸하게 사는 것은 인간 본성에 비추어 볼 때 마땅히 인간의 의무라 말할 수 있어.

슬금 슬금

욕망이 이성의 통제를 벗어나면 한계와 정도를 넘어서서 과도한 행동을 하게 돼.

으앗!

이렇게 되면, 욕정에 사로잡힌 정신은 혼란에 빠지게 되고, 동시에 육체적으로 큰 어려움에 빠지게 되지.

다 내가 잘못 가르친 탓이야.

흑흑

지나친 슬픔이나 분노, 쾌락 등은 육체를 병들게 하거든.

그러므로 욕망은 지나치지 않도록 이성에 의한 통제를 받아야 해.

가!

욕망은 이성에게 복종해야 한다는 것이 바로 자연이 주는 교훈이지.

이젠 그러지 마!

응.

그래서 자연의 법칙을 준수하는 것은 도덕적으로 선한 것이야.

또 데코룸하고 동시에 유익하기도 하지.

그렇기에 자연의 법을 따르는 것은 의무의 기본적 원리라 할 수 있어.

자연이 우리를 이 세상에 보낸 것은 게임이나 농담을 하면서 세월이나 낭비하라고 보낸 것은 아닐 거야.

노세, 노세, 젊어서 노세~

그게 아닌데…

자연

사람은 가치 있고 중요한 일에 최선을 다하며,

다른 사람의 삶의 행복과 복리에 기여하도록 살아야 해.

물론 어린이들에게는 놀이를 허용하면서도

반드시 도덕적 선과 연결해야 한다는 것이 키케로의 생각이야.

주위 사람에게 피해 주면서 놀면 안 되지.

아저씨, 너무 엄격한 것 아니에요?

맞아요! 지겹고 갑갑해요.

충격

헉…

농담에도 혐오감을 일으키고 추하고 촌스러우며 외설적인 것이 있는가 하면

입술이 꼭 소시지 같잖아!

하 하 하

반대로 우아하고 세련되고 지적이며 명쾌하고 재치 있는 것이 있어.

특히 속담이나 격언에는 좋은 재치들이 나타나 있지.

방송 이채로 먹을 사람

후두둑

사공이 많으면 배가 산으로 간다

후자의 농담이 전자보다 훨씬 더 격조 있고 교양 있으며 데코룸한 것이야.

놀리지 마!

빡

유치한 농담이나 야한 이야기보다는 세련된 재치가 더 의무에 부합하는 것은 당연하지 않겠어?

그러니까 앞으로는 그런 농담은 삼가렴.

네.

흑 흑

동물들은 본능에 의한 충동에 따라 살지만

캬ーー오

인간은 위대하고 고매한 정신을 소유하도록 이성의 인도를 받게 돼.

이성

자연이 인간에게 부여한 탁월함이지.

그러므로 사람은 짐승처럼 육체의 욕정이나 충동에 따라서 살아서는 안 돼.

먹고 싶을 땐 먹고~, 놀고 싶을 땐 놀고~.

인간이라면, 고귀하고 탁월한 정신을 소유하도록 노력하고 자신을 훈련해야 해.

백만 스물 하나.

탕

백만 스물 둘.

탕

백만 스물 셋.

탕

백만 스물….

인륜을 저버린 채 육체적 쾌락과 이기적 충동에만 따라 산다면 인간이란 이름만 있을 뿐 거의 짐승이나 마찬가지 아닐까? 친구~

헉!

이성의 가르침에 따라 도덕적으로 선하게, 유익하게 산다는 것은 마땅히 사람이 해야 할 의무야.

네!

이 의무는 도덕적으로 선하며 데코룸해.

육체를 단련해 건강한 삶을 살고, 검소하고 절제하면서 소박하게 살아가는 것이

욕정에 빠져 방탕하고 낭비하면서 사는 것보다 뛰어나다는 것은 누구나 알고 있잖아.

또 아침 일찍 일어나 규칙적으로 운동하고 좋은 책을 읽고 배우는 것이

게임이나 하고 몰려다니면서 싸우고 술 마시고 춤추고 노는 것보다 더 데코룸해.

이제는 도덕적으로 선하게 사는 것과 데코룸하게 사는 것이 의무에 속한다는 게 이해가 되지?

인간에 대해서 두 가지 정도 생각해 볼까?

인간이 갖는 두 가지 모습 -보고서-

먼저 일반적인 관점에서 사람은 이성을 소유하고 있다는 점에서, 짐승보다 탁월해.

승리!

그리고 이 이성에서 도덕적 선이 나오고 인간의 도리와 의무가 말해지지.

도덕적 선

도리

의무

이성

다른 하나는 개별적인 관점에서 사람마다 가진 재능과 성품이 있다는 것이야.

즉 개성!

쿵

아버지의 개성은 참…

이 개성 때문에 같은 도덕적 선에 따라 행동하여도 각자의 개성에 따라 다른 행동을 보이고,

같은 재료로도 이렇듯 다른 것을 만들어 내잖아.

사람마다 데코룸한 모습은 다르게 나타나.

말이나 행동, 몸가짐 등에서도 데코룸한 모습은 같지 않아.

타고난 미모나 적절한 언어 구사, 옷차림새 등에서도 데코룸은 나타나.

그럼 앞에서 말한 호네스툼과 데코룸의 차이가 뭔가요?

? ? ? ?

앞에서 말한 호네스툼이 모두에게 적용되는 일반적인 개념이라면

데코룸은 개별적으로 적용할 수 있는 개념이야.

데코룸과 호네스툼의 차이가 어느 정도는 이해 가지?

네!

데코룸

호네스툼

우리는 겉모습이나 인상에서도 그 사람의 됨됨이를 느낄 수 있다고 여기기에

인상을 중요하게 생각하잖아?

분명 나쁜 사람들이겠지….

데코룸은 밖으로 드러난 모습과 내적인 사람됨이 부합할 때 더욱 뚜렷하게 나타나.

무거우시죠? 들어 드릴게요.

착한 사람이었네. 인상이 험악해서 오해했네.

그러나 데코룸이 언제나 도덕적 선을 기초로 이해된다는 것을 잊지 말라고!

네, 네.

도덕적으로 선하지 않다면 데코룸할 수가 없는 법이거든.

내 몸의 검은 부분처럼 빠져서는 안 될 부분이지. 온통 하얀 판다는 없잖아.

키케로는 자연이 가르쳐 준 인륜을 따라서

인륜

눈과 귀에 거슬리는 것은 보거나 듣지도 말고,

앉고 서고 걷고 행하는 모든 행동이나 태도, 표정, 시선, 손의 움직임 등 모든 것에 데코룸하라고 가르치고 있어

머리부터 발 끝까지!

말하자면 자연과 사람의 본성에 어긋나는 일은 피해야 한다는 것이야.

데코룸

이렇게 행동하는 것이 주위로부터 더 많은 동의와 공감을 얻게 되고 삶에서 아주 유익하게 되거든.

탄탄대로

로마 관습에는 다 큰 아들은 아버지와 함께 목욕을 하지 않고 사위와 장인은 같이 때를 밀지 않는다고 해.

부자끼리 사이 좋게 목욕이나 다녀와요.

싫어!

자연의 본성에 따라 노출로 인한 수치심을 느끼게 되기 때문이라고 하네.

어떻게 홀랑 벗고 같이 목욕할 수 있겠어.

또 로마 시대 배우들은 연기 중에 사고로 속살이 드러날까 봐 반드시 속옷을 입었다고 해.

이 정도면 안 보이겠지?

네가 미라냐?

바른 몸가짐이 중요하다는 것이겠지.

내 몸은 소중하니까!

고리타분 하네요.

요즘이 어느 시대인데… 너무 구식이네요.

그렇지만 무시하기는 힘든 교훈이라고 생각하는데…. 데코룸하게 살아야 하잖아!

부드럽고 사랑스러운 것이 여성적인 아름다움이라면,

강건한 것은 남성적인 아름다움이라 흔히들 말하지.

데코룸하기 위해서도 남자가 너무 여성적이고 연약해 보이는 것은 피하되

여자애도 아니고 그만 뚝 그쳐!

너무 거칠고 터프한 것도 피해야 해.

하앗!

시끄러워!

그러니까 여자는 여성스럽고, 남자는 강건할 정도의 남성적인 몸가짐을 갖는 것이 더 데코룸 하다는 말이지.

역시 뭔가 좀 답답하지 않니?

좀….

데코룸에 대하여

95

데코룸이란 사람의 전반에 나타나는 적절함에 대한 느낌이나 판단이라고 말해.

지나치면 의식과 형식에 빠질 위험도 있지만 적절함이라는 말엔 이미 중용을 포함하고 있지.

과소 → 적절함 → 과다

가운데!

그래서 데코룸이란 늘 부족하지도 않고 지나치지도 않은 품격과 같은 것이지.

넘치지 않게 적당히….

모락   모락

시간이 촉박하고 늦었다고 해서 너무 서두르지 않도록 주의해야 데코룸할 수 있겠지.

난 몰라 어떡해!

으아악! 지각이다!

투다

다닥

너무 당황하거나 안색이 변하거나 초조해 하면서 마음의 평정을 잃어버리는 모습을 보이지 않도록 해야 한다고 키케로는 말해.

헉

헉

헉

'바쁠수록 돌아가라.' 는 말도 있잖아.

일상 생활에서 가장 많은 부분을 차지하는 대화에 대해서 생각해 볼까?

왁자   지껄!

대화하기에 앞서, 생각은 가장 유익하고 최고의 가치들을 목표로 해야 하고 욕망은 항상 이성에 복종하도록 해야겠지.

말할 땐 적합한 어휘를 사용하고 천천히 분명하게 그리고 부드럽게 해야 해.

그야말로 청산유수로세!

대화 중엔 성격의 결점이 드러나지 않도록 유의하고, 자기가 말할 차례를 기다리는 예의도 필요해.

상대의 말허리를 잘라선 안 돼.

말 허 리

대화 주제를 제대로 파악하고 공통 관심이나 주제를 벗어나지 않도록 주의해야 하고

엥? 여기에 대한 얘기가 아니었어?

즐거운 대화를 나누고 마무리할 때에도 절도가 있어야 해.

자, 오늘은 여기 까지 얘기합시다.

이런 모습이 데코룸한 대화라 할 수 있지.

책망할 때에도 엄하게 하되, 모욕적인 언사는 조심하고 애정을 갖고 말해야 해.

그렇게 공을 함부로 다루면 다른 사람이 다칠 수도 있어. 조심하렴.

네….

싫어하는 사람과 대화를 하더라도 품위를 잃지 않고 격분하지 않는 것이 중요해.

추하다….

자화자찬과 상대를 비하하는 발언 또한 삼가야 해.

어머, 너무 작아서 까딱 잘못해서 밟을 뻔했잖아.

말이면 단 줄 알아…?!

《의무론》이 영국 신사들의 필독서라 불릴 만한 이유를 이젠 좀 알겠지?

너도 나도 《의무론》!

신사나 숙녀가 되는 게 그리 쉬운 일이 아니야.

도덕적으로 선함과 동시에 데코룸해야 하거든.

우리처럼!

늘 자신의 행위가 적절했는지, 예의에 벗어난 것은 없었는지 판단해야 해.

헉! 내가 오늘 무슨 실수라도 했나?

공공 장소에서 고함을 지르거나 술을 마시고 춤을 춘다든지 하는 행동들이 좋게 보이지는 않잖아.

사람이라면 모름지기 도덕적인 수치심이 무엇인지 알아야 해.

이것이 자연이 허락한 사람됨에 어울리는 것이야.

자, 그럼 마지막으로 데코룸에 대해서 간단하게 요약해 볼까?

첫째, 욕망은 언제나 이성에 복종시키고

이성

욕망

둘째, 수행하고자 하는 일이 무엇인지 정확하게 살펴 지나치지도 모자라지도 않게 알맞게 배려하기.

넘치지 않도록 말야.

철 철

셋째, 자유인답게 사람다운 위엄과 중용의 도를 지키도록 해야 해.

소용없지!

낑

낑

과소

과대

이 정도면 데코룸이 말하는 의무의 도리에 대해 충분히 말한 것 같아.

데코룸의 의무

참 했어요

검

제6장 더 중요한 도덕적 선에 대하여

앞에서 도덕적 선, 즉 호네스툼과 데코룸을 통해 의무에 대해 생각해 봤어.

호네스툼
(Honestume)

데코룸
(Decorum)

이제는 도덕적 선들 중에서

어떤 것이 더 중요한지에 대해 생각해 볼 차례야.

어떤 행동을 할 때 몇 개의 도덕적 선이 함께 고려될 때, 어느 것을 먼저 선택해야 하는지를 결정하는 문제야.

인간은 태어나면서 다른 사람과 더불어 살아갈 의무를 가졌으므로

모든 의무들 중에서도 공동체에 대한 의무가 가장 중요해.

가족과 친척, 이웃, 학교, 친구, 직장,

나아가 민족과 인류의 구성원으로 살기 때문에 자신이 속한 공동체에 기여할 의무가 있다는 말이지.

그렇기에 공동체의 선과 복리를 이루는 일이 가장 중요한 의무에 속하는 것이지.

그렇군요!

보통 모든 덕 중에서 최고의 덕은 지혜라고 해.

지혜를 뜻하는 그리스어와 라틴어야.

키케로는 지혜란, 신들의 일과 인간사에 대한 지식이라고 말해.

인간사에 대한 지식이라면 인간의 삶에 대한 지식을 포함한다는 뜻이겠지?

그래서 지혜가 인간사에 대한 지식이라면

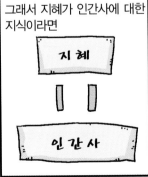

인간이 더불어 살아가는 공동체에 대한 지식이야말로 가장 소중한 것이고 공동체에 대한 의무는 가장 중요한 의무가 되는 것이지.

의무론

하늘의 별을 세는 천문학자와 지구의 크기를 잴 수 있는 수학자라도

만약 국가가 위험에 처한다면,

쌰아아—

큰일 났다!

그리고 그 사람이 국가를 위험에서 구할 수 있는 능력이 있다면,

뭐라고? 나라가 위험에 처했다고?

국가를 구하는 일을 차마 거절할 수 있을까?

지금 학문 연구하고 있을 때가 아니다!

우리라면 할 수 있을 거야!

부모나 친구에게 위험이 닥친다면 가만히 있을 수 있니?

그럴 리가요! 기꺼이 나서야죠!

그래. 그런 이유로 인간의 유익을 추구하는 정의의 의무들이 지식과 지혜를 추구하는 의무보다 더 높이 평가되어야 하는 것이지.

슈퍼맨이 따로 있나? 내가 바로 슈퍼맨이지.

정의란 동료 시민들의 복리와 관계된 것이고,

인간에게 인간의 유익함보다 더 소중한 것은 없을 거야.

유익함

그러므로 당연히 정의에 속하는 의무가 높이 평가되어야 하는 것이지.

물론 평생을 학업에 전념한 다른 학자들도 인간의 유익함에 큰 기여를 해.

우리들도 한몫한다고!

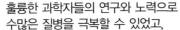

훌륭한 과학자들의 연구와 노력으로 수많은 질병을 극복할 수 있었고,

가 버려!

그 때문에 얼마나 많은 혜택과 유익함이 주어졌는지 우리도 잘 알잖아.

쭉—욱

평균수명

천연두란 병에 대해 들어 본 적 있지?

얼마나 무서웠으면 죽어서도 걸리는 병이라 했겠어.

우우우….

들썩 들썩

갓 태어난 아기도 예외 없이 거쳐야 하는 무서운 재앙과 같은 것이었으니까.

제발, 이 아이만은…!

그런데 이 천연두로부터 인류를 구한 사람이 있어.

천연두 KO!

빡

바로 제너*란 사람이야.

까불고 있어!

흥!

제너가 천연두 백신을 발견함으로써 천연두라는 무서운 병이 지구에서 완전히 사라졌지.

지식의 힘은 참으로 위대해.

질 질

*제너 Edward Jenner 1749~1823 - 영국의 의학자.

유익함과 진보를 가져오는 지식이야말로 가장 소중한 지식이며,

정의를 실현시키는 원동력이라고 할 수 있어.

조금만 더…!

둥실 둥실

정의

즉 지식을 인류의 복지와 안녕을 위해 연구한다면, 인간의 유익함이라는 정의의 의무를 실현하는 아름다운 지식이 되는 것이지.

정의

정의

정의

학자들은 살아서는 많은 사람들을 가르치고

죽어서도 그들이 쓴 책으로 후세의 많은 사람들에게 영향을 주지.

그러니 사람을 가르치고 바르게 양육하는 것이 얼마나 귀한 일이겠어.

그래서 교육을 백년 사업이라고 하는 거야.

결국 교육의 목표도 지금 우리가 공부하는 이러한 의무들을 충실히 이행해서

끄응~!

가족과 조국 및 인류 사회의 복지와 전체 자연의 질서에 기여하는 사람들을 길러내는 것이야.

이런 점에서 사색만 하는 지식보다는 행동으로 옮기는 지식이 더 나은 거야.

머릿속으로 온 세상의 이치를 다 안들 무슨 소용이 있겠어?

안 그래?

인간의 유익함을 위해 행동하는 지식이야말로 유용한 법이거든.

아깝지만….

개인의 관심에 따라 추구하는 지식이나 사색보다는

남들이 무식하든 말든 내 알 바 아니지. 나만 똑똑하면 돼.

공동체에서 함께 살아가는 동료 시민들의 이익에 관련된 지식이 더 높이 평가를 받아야 하는 거야.

어떻게 하면 모두가 불편함 없이 잘 살 수 있을까?

나도 똑똑한데 왜 저놈만 인기가 있는 건데!

인간은 사회를 이루며 살고 있어.

인간은 사회 이익을 위해 노력하고 기여할 의무가 있지.

아무리 위대한 사상이나 생각일지언정

위대한 사상!

인간의 이익을 보호하고 사회를 유지하는 덕에 반대하거나 무관심하다면 무슨 소용이 있을까?

그렇게 위험한 곳을 따라오라고?

장난쳐?

인간의 사회성은 개미나 벌들의 군집성보다 더 강하고,

우리보다 더 똘똘 뭉친 놈들이 있다던데, 대체 누구야?

인간들이라고… 땅 위에 사는 엄청 큰 놈들 있잖아.

수근 수근

게다가 이성이라는 놀라운 혜택도 받았잖아.

그게 다 이성이란 것 때문이라나 봐.

무시무시한 무기인가 보네…

불굴의 정신, 즉 용기도 마찬가지야.

불끈

정의의 덕이 없는 용기는 참된 용기가 아니야.

쓸모없어!

콰!

정 의

자기 욕심을 위해 죽을 각오로 싸우는 사람을 용기 있는 사람이라 말할 사람은 없어.

내 눈에 흙이 들어가기 전까지

한푼도 못 내 줘!

잔인하게 싸우는 깡패들에게 용기 있다고 말하지는 않잖아.

그런 무자비한 사람들은 오히려 야만인, 심하면 짐승이라고 부르지.

불굴의 정신이란 많은 사람들의 유익함을 위해 용기 있게 행동하는 사람들에게 붙는 칭찬이야.

용기

의무론

부모님이 없다면 내가 있을 수가 없겠지?

나와 함께 더불어 사는 사람이 없다면 나의 존재 가치도 없을 것이고

이 넓은 땅에 나 혼자… 내가 사라지더라도 알아 주는 사람 하나 없겠지?

또 우리가 사용하는 것들의 대부분은 다른 사람의 도움 없이는 나올 수 없는 것들이고

주위를 한번 둘러봐.

내가 만든 것들이 과연 몇 이나 되겠어?

우리가 배우는 지식들도 다른 사람의 노력으로 이루어진 것들이야.

가나다라 마바사….

즉 우리가 누리는 의식주의 거의 모든 것들이 다른 사람의 노력에 의해 이뤄졌단 말이야.

저도 헌혈로 다른 사람 도운 적 있어요!

저는 불우이웃 돕기 모금도 했는 걸요!

그래! 물론 나의 노력이 다른 사람의 삶에 기여하기도 하지.

내가 하고 싶은 말은 이렇게 서로 도우며 서로를 위해 더불어 사는 것이 사회라는 것이야.

인간은 사회적 동물이야.

그렇기에 사람의 의무나 도리는 사람을 위한 것이어야 하며,

영차   의 무   영차

또 거꾸로 말하면 사람을 위한 것이기에 의무가 되는 것이지.

의 무

그러나 공동체 의식과 이기주의는 구별해야 해.

이 결혼은 절대 안 되네!

네에?

왜요? 왜 우리 사이를 갈라놓는 거예요!

잘 들어 봐.

우리나라에 들어와 사는 외국인이 있어.

오우~ 한쿡땅 처음 와 봐요우~.

그런데 항상 나의 가족, 친구, 민족만을 앞세운 채 그들을 혐오한다면

저기요, 길 좀….

우린 외국인이 싫거든요!

이것은 좋은 공동체 의식이 아닌 거야.

내가 뭘 잘못했죠?

나라 망신….

정의로운 사회란 공평해야 하거든.

때문에 자기 나라와 민족을 구하는 일을 할 때조차도 도덕적 선에서 나오는 의무의 요구에 따라야 옳은 법이야.

그래서는 안 돼.

윽….

미안, 이기주의 씨! 나보다 더 좋은 사람 만나길 바라!

가지 마!

106 의무론

의무들을 비교·선택할 때 인간 사회 유지의 중요성에 따라 우선 순위를 매기겠지?

빨리 골라! 쓰러지겠어!

으음~!

우리가 앞에서 공부한 의무의 본질을 잘 이해하고 있다면 우선 순위를 결정하는 일이 크게 어렵지는 않아.

그래! 결정했어!

그래도 현명한 생각보다는 신중한 생각이 중요하니, 알고 있는 사실이라도 매사에 신중하도록 해.

많은 사람의 유익함을 위한 일이 우선이지만, 항상 정의롭고 도덕적인 방법과 절차를 따라야 해.

이쪽으로!

좋은 생각도 방법이 정의롭지 못하면 오히려 나쁜 일이 되거든.

가난한 사람을 돕기 위해 도둑질을 한다면 옳은 일이 아니잖아.

이거 놔!

나라와 문화에 따라서 의무의 우선 순서는 다를 거야.

이스라엘과 아랍에서는 신에 대한 의무가 첫째야.

유교에선 부모에 대한 효와 국가에 대한 충심이 먼저지….

또 사람마다 가장 중요하다고 생각하는 의무에도 차이가 있을 거야.

그러나 분명한 것은 반드시 정의로워야 한다는 것이지.

정의가 없고, 도덕적으로 선하지 않은 목적과 수단은 결국 인간에게 해를 주거든.

이제 우리는 제1권을 마쳤어.

이제 내가 등장할 차례군.

의무론 제 2권

제7장 두 번째 이야기

유익함에 대하여

앞에서 우리가 배운 것은 도덕적 선과 여러 종류의 덕에서 생기는 의무에 대한 것이었어.

도덕적 선 · 의무 · 덕 · 의무 · 의무 · 의무 · 의무

지금부터는 '유익함', 즉 생활의 안락함에 대해 배울 거야.

유익성

또 사람들이 유익함을 누리기 위해 어떤 방법을 사용하고, 또한 권세나 부를 어떻게 이용하는지 알아볼 거야.

저금이 좋을까, 투자가 좋을까…

그러니까 사람에게 유익한 것은 무엇이고 유익하지 않은 것은 무엇인가 하는 문제에 대한 집중탐구지.

킁킁

키케로는 의무를 수행하는 데 있어 고민해야 할 것이 다섯 가지가 있다고 해.

그중 두 가지는 우리가 앞서 살펴본 '도덕적 선'이라는 '호네스툼'과 '데코룸'이야.

'호네스툼'
'데코룸'

그리고 나머지 두 가지는 '생활의 편리함'과 부와 권세와 같은 '생활의 능력'과 관계하는 것들이지.

마지막은 앞에서 말한 것들 사이에 충돌이 생길 때

두 ——— 둥

이들을 어떻게 조정하면 좋을까 하는 것이야.

펵
펵

어떡하지….

여기서는 먼저 두 번째로 말한 두 가지에 대해 알아볼 거야.

'생활의 편리함'

'생활의 능력'

그것이 바로 '유익함'이라는 것이거든!

하지만 이렇게 나누어 설명한다고 해서

'도덕적 선'과 '유익함'을 완전히 구별해서 생각하지는 마.

도덕적 선

유익함

도덕적으로 선한 것이 전혀 유익하지 않다고 말하거나, 반대로 도덕적으로 전혀 선하지 않지만 유익하다고 말하는 것은 바른 생각이 아니거든.

그럼, 도덕적으로 선하지 않은 것이 유익할 수는 없을까요?

가끔 철학자들은 순수하게 이론적 입장에서

유익한 도덕적 선, 전혀 유익하지 않은 도덕적 선, 그리고 도덕적으로 전혀 선하지 않은 유익함 등으로 나누어 도덕적 선과 유익함의 관계를 말하기도 해.

무슨 말이야 대체….

끄응

무슨 말인지 함께 생각해 보자고!

많은 사람들이 종종 교활하고 영악한 것을 지혜라고 착각하는 경우가 많아.

희대의 지능범이래….

머리가 굉장히 좋은 사람인가 봐.

그건 아~~주 잘못된 생각이야.

사람이 사기나 교활한 속임수, 도둑질로 원하는 것을 얻는 게 정당한 일일까?

당연히 아니겠지.

좋은 일은 도덕적으로 선한 생각과 정의로운 행위에 의해서 이루어질 때 자신뿐만 아니라 이웃에게도 유익한 법이지.

목적이 도덕적으로 선하지 않거나 방법이 정의롭지 못하면 결국은 유익하지 못하게 돼.

사람이 살아가는 데 유익하면서 필요한 것은 여러 가지가 있어.

먼저 무생물 중에서는 금, 은, 철, 석유, 석탄 같은 지하 자원이 있겠지?

반면에 생명체 중에는 소나 말과 같은 가축처럼 이성이 없는 것들이 있을 거야.

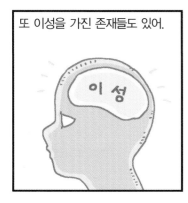

또 이성을 가진 존재들도 있어.

이 성

신 혹은 신과 같은 존재이거나 인간이 이에 해당되겠지?

난 신과 동급이다!

인간에게 해를 끼칠 수 있는 것도 이런 식으로 분류할 수 있을 거야.

생명이 없는 것들은 대체로 인간이 노동을 해서 얻게 돼.

오곡백과의 수확은 인간의 노동인 농사로 만들어 낸 결과물이야.

인간은 노동과 기술을 통해 그것들을 필요에 따라 소유하거든.

그리고 사람의 노동이 없었더라면 땅속에 매장된 금, 은, 철, 동과 같은 지하 자원도 캐낼 수 없었을 거야.

언젠가는 바깥 세상의 빛을 볼 수 있겠지.

글쎄… 누군가 우릴 캐내지 않는 이상 불가능할걸.

이러한 노동은 인간이 공동 생활을 성공적으로 수행하기 위해 상부상조하며 습득하는 것이야.

오늘은 누구 집 김매는 날인가?

옆집이라네~. 어서 갑세.

인간이 서로 돕고 더불어 살지 않았더라면 많은 유익함들을 성공적으로 얻기 어려웠다는 것은 쉽게 짐작할 수 있겠지?

상수도, 운하, 농지 관개 시설, 방파제, 항구 등의 기간 시설들은

인간의 노고가 없었다면 결코 이루어질 수 없는 것이지.

유익함은 우리의 노동을 통해서 얻어진다는 것에 대해서는 의심의 여지가 없어.

마찬가지로 인간의 노동과 기술로 동물에게서 유익함을 얻을 수 있었다는 것도 잘 알 수 있어.

짐승들을 먹이고 치는 일과 같은 다양한 기술도 사람의 노동과 협동으로 이루어진 것이니까.

그래서 기술 발전은 아주 중요해.

기술 발전이 인간의 삶을 짐승과는 아주 다르게 만들어 주거든.

의술이 없다면 어떻게 환자들을 치료할 수 있겠어?

아이고, 배야~!

의술이나 기술이 없었다면 건강의 기쁨이나 안락한 생활이 쉽지 않았을 거야.

의사가 없으니까….

아파도 고쳐 줄 사람이 없네.

인간이 모여 함께 살면서 점점 큰 집단이 생기고

마침내 도시가 생겨나게 되고,

도시가 생겨나니까 여러 가지 법과 관습들도 생겨나고….

또 여러 가지 개인의 권리나 평등한 분배와 생활의 질서가 등장하게 되고

이러한 질서에 힘입어 필요한 물건들을 교환하고 판매하는 시장도 생기고

학교도 생겨났어.

또 연극, 영화와 같은 여가와 재미를 추구하는 문화도 생겨났어.

아무튼 이러한 결과로 삶은 안락하고 윤택하고 풍부해졌어.

이제 반대로 생각해 볼까?

사람이 사람에게 가장 선하고 유익하다면, 비슷한 방식으로 사람은 사람에게 가장 해로운 존재가 될 수 있지 않겠어?

케 케 케

사실 사람에게 가장 위험한 존재가 뭐냐고 묻는다면

귀신?

땡! 사람이라고 할 수 있어.

사람은 사람에게 가장 선하고 유익한 존재인 것이 분명하지만

반대로 가장 해롭고 무익한 존재일 수도 있어.

왜냐하면 인간의 파멸도 결국 인간에 의해서 생겨나는 경우가 많으니까.

홍수, 역병, 야생 동물의 습격이나 천재지변에 의한 피해보다도

크르르릉

헉! 난 죽었다!

인간이 인간을 공격하는 것이나 무자비한 전쟁으로 훨씬 더 많은 피해가 생긴다는 것은 쉽게 알 수 있잖아?

쾅

쾅

그러니까 인간은 인간에게 최대의 유익을 가져다주는 원천임과 동시에 최대의 피해를 가져오는 원천이기도 해.

이러한 관점에서 볼 때 사람에게 유익함을 가져다주는 도덕적으로 선한 행위가, 말하자면 우리가 지금까지 말해 온 덕이라고 볼 수 있어.

인간의 마음을 사로잡아서

잡았다!

휘릭

자신에게 유리하게 붙들어 두는 것이 바로 덕의 속성이라고 키케로도 말해.

더 빨리 걸어라!

해 지겠어~.

뒤뚱

뒤뚱

덕이란 인간을 인간에게 유익하도록 결합하는 것이지.

덕으로 말미암아 인간이 인간에게 유익한 존재가 될 수 있다는 뜻도 돼.

무생물이나 짐승을 인간의 삶에 유익하게 만드는 방법이 기술이라면

사람이 사람에게 유익하도록 만드는 원리는 덕인 셈이지.

덕이 있으면 사람은 동료들에게서 공감과 동의를 얻게 되고.

《의무론》에 따르면 모든 덕은 지혜와 용기, 인내와 정의 등으로 이루어져 있어.

용기야, 빨리 와!

지혜는 사물에서 진실과 본질을 파악하고 어떤 일의 원인을 이해하는 능력이고,

안에서 파이프가 터졌나 보군….

용기는 불의에 굴하지 않는 고상한 정신이며

도둑 잡아라~!

인내는 혼란한 마음과 동요를 억제하고 본능적인 욕망을 이성에 복종시키는 훈련이야.

마지막으로 정의는 함께 살아가는 사람들과 공평하게 누리려 하는 형평의 원칙이지.

그러니까 바르고 정확하게 알고

저곳을 고치면 완벽하군!

불의에 굴복하지 않고 이성에 따라 모든 사람과 공평하게 누리는 삶을 추구하는 사람이야말로

의무를 다하는 사람이라고 말할 수 있지 않을까?

흔히 우리는 운에 대해서 말하곤 하지?

꼭 당첨되기를!

운이 좋으면 행운이라 하고 운이 나쁘면 불운이나 악운이라고 하지.

만세! 당첨!

아싸!

행운을 만나면 신나고 불운을 만나면 비참한 생각이 들지?

난 왜 이렇게 되는 일이 없지?

짝

짝

불운이나 역경은 태풍이나 폭우, 가뭄, 홍수, 지진 등 자연 재앙으로 오기도 하고,

요즘은 거의 없는 일이지만 옛날에는 들짐승의 공격으로 일어나기도 했어.

그렇지만 이러한 액운은 사실 그렇게 흔하게 일어나는 일이 아니야.

실제로 인간의 불행은 이러한 자연 재앙이나 들짐승의 공격보다는

오히려 다른 인간들에게서 훨씬 더 많이 발생하는 것 같아.

사람은 가장 친한 친구도 되지만 가장 무서운 적도 되거든.

불행도 알고 보면 사람들이 스스로 만들어 내는 경우가 많다는 말이지.

헉! 나도 모르는 새에….

사람이 서로 친구로 살 수 있는 사회가

원수나 적으로 사는 사회보다 훨씬 행복하지 않겠어?

하루라도 평온한 날이 없네.

사람과의 관계에서 많은 불행이 일어난다면

반대로 사람과의 관계로 많은 불행을 막을 수도 있지 않을까?

주변 동료들에게 호감을 얻게 된다면

오! 이번 보고서는 매우 훌륭하군!

사람 때문에 발생하는 불운의 많은 부분을 예방할 수 있을 거야.

휴, 다행이다! 이번에도 퇴짜면 난 끝이었을 거야.

그러니까 동료들에게 호감을 얻고 관계를 유지하는 것은 아주 중요한 일이지.

학교에서 친구들이 서로 잘 지내는 것이

왕따당하거나 왕따시키는 것보다 행복하지 않겠어?

난 늘 혼자야…

유익함이란 바로 이런 문제에 대한 이야기라고 보면 돼.

누구든지 불행은 피하고 행운은 얻고 싶은데,

대체로 운이란 자연이나 다른 외적인 요인보다는 주로 사람과의 관계에서 생겨난다는 말이야.

사람을 만나서 행복하고

사람을 만나서 불행해지잖아.

그러니 사람 관계를 통해 불운을 막고 행운을 얻는 것이 얼마나 좋은 일이겠어.

사람도 사귀고 행운도 생기고, 일석이조!

인연은 사람이 만든다는 말도 있듯이

이왕이면 악연보다는 좋은 인연을 만드는 것이 좋겠지?

사람의 인생살이는 인연 그 자체라 할 수 있는 것 같아.

친구와의 인연

직장 동료들간의 인연

부부의 인연

그렇다면 주변 사람들로부터 발생할 수 있는 불운을 예방하고

불운 예방제

1일 3회 식전/식후

약국

동의나 공감, 혹은 호감을 얻기 위해서는 어떤 것들이 필요할까?

절 좋아해 주시면 안 될까요?

뭐요?!

먼저 우리는 덕을 생각할 수 있어.

일단 덕은 앞에서 배운 것처럼 도덕적으로 선하니까 말이야.

착하다~.

덕

또 다른 하나는 우리가 여기서 공부하는 유익함이라고 할 수 있지.

나도! 나도 칭찬해 줘~

덕

유익함

덕이 모든 종류의 덕에서 나오는 의무에 대한 교훈이라면,

덕

유익함은 생활의 안락함이나 사람이 즐길 수 있는 수단을 획득하는 일에 대한 것이야.

이를테면 권력이나 부,

명예나 명성 같은 것들이지.

그런 것이 있으면 좋고 편리하고 여러모로 유리하니까.

억울하면 출세해.

도덕적 선과 덕에서 의무가 나오는 것처럼

의무
의무
잔뜩 나오는구먼….
도덕적 선
의무
의무
덕

유익함에서도 의무는 생겨나는 법이야.

예를 들어 재물을 획득하면 안락하고 편안하게 사는 데 유익하지만,

과정이 뭐가 중요해? 돈만 벌면 되지.

으리 으리

그 재물을 어떻게 획득하고 어떻게 사용할 것인지를 생각한다면

당연히 의무와 무관하지 않지.

도둑질해서 지은 집이니 즉시 철거!

주변인들에게 호감을 얻으려면 재물을 어떻게 사용해야 할까 하는 문제는 유익함의 문제이면서,

동시에 의무에 대한 문제인 셈이니까.

의무는 유익함에서 무엇이 유익하고 무엇이 유익하지 못한지를 생각하게 만들어.

가자!

유익함
의무

그럼, 이제 유익함과 의무의 관계에 대해 한번 알아볼까?

의무를 이해하는 데 필요한 유익함 중에 어떤 것들이 중요할까?

아버지, 질문은 이제 그만….

키케로에 따르면 첫째는 영예, 둘째는 호의와 관대함이야.

1. 영예
2. 호의와 관대함

그리고 그 밖에 건강이나 재산 같은 것도 있겠지.

그럼 먼저 영예에 대해서 살펴보자.

제8장에서 만나요~.

유익함

제8장 관직의 영예에 대하여

사람이 사람을 돕는 데는 다음과 같은 이유가 있다고 키케로는 말해.

첫째, 무슨 이유에서든지 그 사람을 좋아하기 때문이며,

둘째, 그 사람의 덕을 높이 평가하기 때문이며,

셋째, 그 사람의 신의를 굳게 믿고 돕는 것이 더 이익이라고 생각하기 때문이고

우리 동맹을 맺읍시다!

끄으윽

넷째, 그 사람이 가진 권력을 두려워하기 때문이며

의무론

다섯째, 그에게 선물을 기대하기 때문이며

도와줬으니 사례금은 주겠지?

여섯째, 뇌물과 물질적 보상을 주겠다는 약속 때문이야.

이번 일만 잘 처리한다면 이 보물은 모두 자네 것이야.

이 이유들 중 마지막 여섯 번째는 주는 자나 받는 자나 모두 가장 비열하고 추잡하고 나쁜 것이야.

헉!

키케로는 사람이 군대나 정부 권력에 복종하는 이유도 비슷하다고 했지.

첫째는 호의, 둘째는 선의 혹은 관대함,

울지 마, 아가야~.

셋째는 상대방의 사회적 명성, 넷째는 이익에 대한 기대,

어떡하면 눈에 띄어 출세할 수 있을까?

다섯째는 힘 혹은 두려움,

똑바로 안 하면 가만 안 돼!

네….

여섯째는 선물에 대한 기대, 일곱째는 뇌물 등이야.

이번 전투에서 승리하면 포상금을 주겠지?

공직에서 영예의 최고 대상은 아마도 권력이겠지?

옛날에는 임금이었고 지금은 대통령이 가장 큰 권력이라고 할 수 있어.

권력은 부모자식 간에도 외면하게 만드는 맛있는 독약이라고 말할 수 있어.

그렇다고 권력이 일방적으로 나쁘다는 것은 아니야.

난 억울해!

권력만큼 중요한 것이 어디 있겠어?

독도 잘 쓰면 약이라고 하잖아.

내 독이 약으로 쓰인다는 사실, 몰랐지?

권력은 많은 사람을 행복하게 만들 수도 있지만

이 나라가 고통 없이 평온한 것은

다 훌륭한 나라님 덕분이야.

반대로 많은 사람을 가장 비참하게 만들 수도 있어.

그래서 사람들은 성군이나 좋은 대통령을 기대하는 것이야.

나라의 흥망이 좌우되는 일이니까.

폭군 따위를 원할 리 없지.

권력이라 하면 일단 다스리는 것이라 생각하면 돼.

권력에 대해 말할 때 가장 선한 것은 사랑으로 다스리는 것이야.

가장 나쁜 것은 공포로 다스리는 것이지.

말 안 들으면 어떻게 되는지 알고 있겠지?

권력이 공포와 억압의 수단이 되면 가장 무서운 것이 되지만

그런 권력은 오래가지 못하는 법이야.

많은 사람을 불행하게 만드는 사람은 결국 그 사람들에게서 외면당하거든.

독재자 시저도 권력으로 국가를 자기 손아귀에 넣었지만 결국엔 암살되었잖아.

공포로 다스렸던 사람들의 끝이 비참했다는 것은 역사가 가르쳐 주는 분명한 교훈이지.

아아아아

어떤 폭군도 백성들에게 존경받지 못했고

지옥에나 가 버려!

에라, 이 나쁜 놈!

그 결과 살해되거나 쫓겨나거나 비참한 최후를 맞았으니까.

살려 주세요!

그럼, 권력이 대체 왜 필요한 거죠?

통치를 위해서 필요한 수단이거든.

하지만 덕과 사랑으로 성군이 되어 다스린다면, 더 없이 좋은 유익함이라고 할 수 있을 거야.

그래서 권력의 사용은 엄격해야 해.

항상 국민들을 생각하며 정치를 하셔야 합니다!

아, 알았어.

공익을 위해 말이나 설득으로 되지 않는 것은 때로는 물리적으로 엄하게 할 필요가 있지만

자신의 권력을 공포의 대상으로 만들려는 사람은 미친 사람이거나 폭군인 거야.

다시는 기어오르지 못하게 본때를 보여 줘라!

자유란 생명과 같은 것이고 영원히 억압될 수는 없으니까.

자유 국가에서 권력으로 개인의 권리를 통제하거나 억압하려고 하면 반드시 거센 저항과 도전에 부딪히잖아.

그래서 여론이 중요한 것이지.

독재와 억압의 끝은 파멸이야.

국민을 잠시 속이고 억압할 수는 있어도

막아! 막으라고!

영원히 그렇게 할 수는 없거든.

와아아

권력과 권한은 자기를 지지해 주는 시민들의 마음에 호소하며,

여러분! 저를 믿어 주십시오!

공포와 억압을 몰아내고 인자와 사랑을 실현하는 정책을 채택해서 다스리도록 주어져야 해.

이런 것들은 다 버려야 해.

남들이 자신을 두려워하기를 바라는 것은 어리석은 일이지만

많은 사람들이 이런 쾌감을 좋아하는 것 같아.

다들 내가 무서워서 피하는군.

크크...

협박과 억압으로 할 것이 아니라 존경하도록 만들면 될 텐데.

이런 권력의 힘에 중독되어 가는 사람이 꽤 많은 것 같아.

하지만 권력을 두려움의 상징으로, 남들로 하여금 자신을 두려워하게 만드는 수단으로 사용하는 사람은

결국 자신도 두려움 속에 살게 되지.

난 밤이 무서워. 누군가가 나에게 앙심을 품고 날 없애러 올지도 모르거든.

이런 걸 두고 흔히 인과응보라고 말하지.

뿌린 대로 거두는 법이거든.

최고의 권력을 독점한 자가 아무도 믿지 못하고

여기에 독 넣은 건 아니겠지?

예?

두려움과 고독 속에서 고립되는 것은 얼마나 역설적인 일이냐고?

말했듯이 권력이나 권세 자체가 나쁜 것은 아니야.

그것을 소유하는 사람의 욕심이 나쁜 것이지.

이제 세상은 내 것이야.

그래서 본능적 욕심은 항상 이성에 복종시켜야 해.

당장 그만두지 못해!

이 성

끄응~!

권력이 다른 사람의 공감과 지지를 이끌어 내는 좋은 수단임은 분명해.

권력만큼 좋은 수단이 어디 있겠어?

그러나 그것이 공포와 두려움을 통해서라면 얼마나 비참할까?

꽝

폭군의 출현과 내전이라는 격동의 로마 시대를 살면서

꽝 꽝

키케로가 공화정에 대한 열정을 버리지 않은 것도 바로 이런 이유일 거야.

모두를 위해서라도 로마는 공화국이어야 해.

시민 정부가 부당한 억압에 의해서가 아니라 호의적인 봉사에 의해서 유지되기를 기대한 것이지.

로마의 원로원은 각국의 왕이나 부족, 국민의 피난처이자 항구였다고 키케로는 말해.

모두들! 원로원으로 피해!

로마는 동맹국의 이익을 위해 전쟁을 했고

잉? 왜 로마군까지…!

여기는 우리 당국 이거든!

동맹국들을 공평과 신의로써 수호했어.

말하자면 로마는 지배 국가가 아니라 오히려 보호해 주는 나라로 인정될 수 있었다는 말이야.

로 마

그래서 키케로는 시저 한 사람에게 모든 권력이 넘어가게 된 것에 대해 아주 비판적이야.

아니, 이게 말이 되는 일이냐고!

동맹국에 펼치는 강압 정책은 공정하지 않다고 생각했던 시대는 가고,

만날 그렇게 물렁하게 생각하니 안 되는 거라고!

뻥

폭군들은 로마 시민들에게도 잔인한 행위를 가하게 되었지.

너희들도 말 안 들으면 다 저렇게 될 줄 알아!

로마 시민의 재산을 빼앗아서 경매에 붙여 파는 일도 있었다고 해.

경 매

저건 내 건데….

키케로에 따르면 독재자가 된 시저는 시민들의 재산을 몰수하고

몰수!

뿐만 아니라 권력을 이용하여 모든 지역을 송두리째 파멸로 몰아 넣었다는 거야.

크크크….

국민의 사랑과 존경을 받는 경애의 대상이
되기보다는 오히려 공포의 대상이 되길
바랐기 때문에 이런 일들이 생기는 것이지.

권력은 국민의 사랑과 존경을 받도록 사용해야 하는 것인데 말이야.

더 이상은 무서워서
못살겠어~!

이럴 바엔 다른
나라로 떠나 버리는
게 낫겠어.

권력을 바르게 사용할 의무가
얼마나 중요한 것인지를 말해 주는
증거가 아닐까?

사랑과 존경, 혹은 정직과 신의는 모든 사람에게 같은
수준을 요구하지는 않을 거야.

직업과 위치에 따라
다를 수 있거든.

시민   법관   군인

어떤 사람은 확실한 친구의 우정과 신의만으로
충분할 것이고

내가
자네를
믿는
만큼

자네도
나를
믿는
맘이면
충분해!

어떤 사람은 전 국민의 신의와 지지를 필요로
하지.

이번엔
꼭 당선되어야
할 텐데….

물론 존재 가치를 그 자체로
인정해 주는 친한 친구의 신의와 우정은
누구에게나 소중한 것이지.

따봉!

관직의 명예와 명성은 동료 시민들에게서 이런 신의와 사랑을 획득하는 데 큰 도움이 돼.

명성

명예

키케로는 최고의 영예는 다음 세 가지 조건에 달려 있다고 말해.

첫째는 대중이 그를 경애하고,

둘째는 대중이 그를 믿고 신의가 있다고 생각하며,

그분 진짜 믿음직스럽지 않니?

응! 정말 신뢰가 가는 분이야.

셋째는 대중이 그에게 찬사를 보내면서

관직에 따른 영예를 받을 만한 자격이 있다고 생각하는 것이야.

선의는 선행에서 생겨나는 법이야.

꼬꼬댁~.

선행

선의 선의 선의

적어도 선을 행하려는 의지에 따라서 선의가 생겨나지 않겠어?

대중의 사랑이나 경애를 받는 것은

좋은 명성과 재물을 잘 베푸는 것과

작지만 도움이 되었으면 좋겠네요.

감사합니다!

정의와 신의, 온후한 성격, 공손한 태도 등의 모습에 의해서 쉽게 이루어질 거야.

신의는 주로 다음과 같은 사람에게 생긴다고 말할 수 있어.

명예

미래를 내다보는 예지력을 가진 사람이 정의롭다고 여겨질 때,

오오, 보인다~.

미래가 보여~.

즉 우리 자신보다 더 이해심 많고 미래의 위기를 극복할 수 있는 통찰력을 가졌고,

보통 이런 말은 뛰어난 선견지명이라 하죠.

오우~.

위기를 수습하는 적절한 결단을 내릴 수 있는 사람이라면

그래! 그 방법이 좋겠어!

딱

우리는 그에게 신의를 갖게 될 거야.

덕분에 전쟁을 피하게 됐어.

굉장해!

국민의 신의를 받는 사람이 지도자가 되면 그 나라의 국민은 행복할 수 있을 것이라고 생각해.

평온한 국가!

더할 나위없이 행복해!

또 사기와 불의에 대한 혐의가 전혀 없는 정의롭고 착한 사람들에게

청

렴

결

백

우리는 신의를 보내게 돼.

이런 사람이라면 나의 생명, 재산,

자식들을 맡겨도 안심할 수 있을 것 같아.

미래를 잘 내다보고 판단하는 것은 신의를 얻는 데 좋은 방편이 될 수 있어.

미래

그러나 예지보다는 정의가 더 합당하다고 할 수 있는데,

슈퍼맨 다시 등장!

아무리 예지력이 있어도 정의롭지 못한 사람은, 믿을 수가 없으니까.

죄인이 나라를 구하는 방법을 안들, 누가 믿겠냐고.

정의는 예지가 없어도 충분한 영향력이 있지만

나도 커서 슈퍼맨이 될 거야.

우리의 영웅!

예지는 정의가 부족하다면 신의를 얻기 힘들지.

오히려 더 위험할 수도 있으니까.

정의감이 없고 예지력만 있는 사람은 오히려 교활하고 영악한 사람으로 생각되겠지?

이 길로 가면 된대!

크크크… 바보들! 보물은 내 차지다!

그런 사람은 신의는 고사하고 미움을 받고 혐오스럽게 여겨지게 돼.

천하의 몹쓸 놈 같으니….

함정이잖아!

그러므로 예지력이 있는 사람이나 지성은 정의와 함께 있을 때 신뢰를 얻는 것이지.

턱

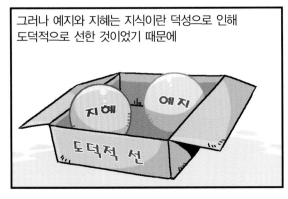

그러나 예지와 지혜는 지식이란 덕성으로 인해 도덕적으로 선한 것이었기 때문에

지혜 예지

도덕적 선

지식의 덕을 가진 자는 정의의 덕도 함께 가지고 있을 것이라 기대하는 것은 당연한 일이라고 믿어.

관직의 영예를 얻는 세 번째 길은 사람들의 존경과 칭찬을 받는 것이야.

우리는 지도자를 선출할 때

누가 가장 지도자로서 존경과 칭찬을 받을 만한지 평가하잖아.

이 사람이 제일 믿을 만해.

마찬가지로 모든 관직은 당연히 그것에 합당한 존경과 칭찬을 받을 만한 사람에게 주어져야 하지 않겠어?

난 받을 만해!

사람들에게 악하다고 평가받고, 게으르고 무식하다고 경멸받는다면

실격!

쳇!

관직의 영예에 걸맞는 사람이 아니겠지?

다른 이들보다 덕성 있고 뛰어날 때 존경받게 되는 것이니까.

덕성

그러므로 욕심을 이성에 복종시키고 쾌락보다는 고귀한 정신력과 분별력을 갖고

참아!

훌륭한 목표를 추구하는 덕성을 가지도록 노력해야 해.

조금만 더 가면….

목표

이러한 노력이 관직의 영예를 얻는 의무 수행의 과정이라고 말할 수 있어.

해냈다!

사람이 고귀한 정신을 소유하고 있다면 존경받을 수 있겠지?

마찬가지로 정의로운 사람은 그 한 가지만으로도 선인이라고 인정 받을 수 있고 말이야.

선인? 날 말하는 거야?

아니… 착한 사람을 뜻해.

또 일반적으로 돈을 잘 관리하는 사람에게도 어느 정도 경의를 표하기도 하지.

돈을 마음 놓고 맡길 수 있는 사람이면

입금은 정상처리 되었습니다.

다른 일에서도 마찬가지일 것이라고 믿을 수 있으니까.

착실한 사람이야!

우습게 들릴지 모르지만 도둑 사이에서도 정의가 필요해.

예를 들면 도둑이 같은 패의 다른 도둑을 속인다든지 그들의 물건을 다시 훔친다면

헉!

그 도둑은 다른 도둑들에게 정의롭지 못하다 여겨지겠지.

도둑이 왜 도둑이겠어?

그러면 동료 도둑들에 의해서 쫓겨나거나 심한 경우 살해될 수도 있어.

으악!

넌 이제 끝이야….

조폭 사회도 마찬가지야.

나 무섭지…?

다른 동료들에게 동의와 호감을 얻기 위해서는 그들에게 신뢰와 존중을 받아야 하지.

배반은 곧 죽음이다!

공정한 권리는 어느 시대, 어느 곳에서나 동서고금을 막론하고 요구되었어.

공정하지 못한 권리는 권리가 아니야.

공정이 없으면 출입할 수 없다!

권리

이러한 권리는 보통 정의로운 사람들에 의해서 확보돼.

권리 권리

그래서 어느 시대에서든

이게 다 어디 사람이래?

정의로운 사람, 혹은 그러한 덕을 가진 사람을 지도자로 추대하려 하지.

저요…?

와!

와!

통치자에게 가장 요구되는 덕은 아마 정의일 거야.

알았다고!

정의

정의

정의

정의

정의에다 예지까지 갖추고 있다면 말 그대로 금상첨화겠지만

정의

예지

권력이나 영예가 따르는 관직을 위해서는

갖고 싶다.

다른 사람들에게 정의롭다고 인정을 받을 필요가 있어.

당신은 정의로운가요?

음… 글쎄요.

가식과 사치, 허풍으로도 지속적인 영예를 얻을 수 있어.

엥? 그건 남을 속이는 일이잖아요.

왜 이런 말이 나오는지 소크라테스를 모셔서 알아보자고!

소크라테스입니다. 제 생각으로는 영예를 얻는 지름길은 자신이 남에게 어떻게 보이길 원하는지를 스스로 파악하고

열심히 노력하는 것입니다!

다른 사람의 기대를 저버리지 않도록 살아야 한다는 말이군요.

어찌 됐든, 영예를 원하거나, 영예로운 관직으로 나아가려는 사람은

정의의 덕목에 관련된 의무를 성실하게 수행해야 해.

엥? 나 또 불렀어?

몇몇은 나면서부터 좋은 조건에서 시작해.

드디어 우리 왕가에도 대를 이을 자손이 생겼구나.

그들은 처음부터 영예의 대상으로 출발하게 돼.

이 아이를 내 뒤를 이을 왕자로 정하겠노라!

그러므로 그들은 남들이 자신을 기억하도록 최선을 다해 노력해야 해!

왕자님! 여기가 틀렸잖습니까.

왕이 되는 길은 멀고도 험난하구나.

반대로 출신이 미천하여 어렵게 출발한 사람은

응애

아이고야, 살림은 빠듯한데 밥숟가락은 하나 더 늘었으니 이를 어쩌누….

스스로 목표를 세워서 흔들리지 않고 전력을 다해야 해.

목표는 훌륭한 변호사!

이 지긋지긋한 가난에서 벗어날 테다.

그러면 흔히 자수성가라 부르는 영예에 도달할 수 있어.

어머니! 저 해냈어요!

장하다, 내 아들!

사람이 영예를 얻고 싶으면 그것에 해당하는 의무를 게을리 해서는 안 된다는 말이지.

젊은이는 절제를 배우고 부모를 공경하고

어머니! 힘든 일은 저에게 맡기세요!

아이고야. 고맙다, 우리 아들!

육체적 쾌락보다는 정신적 덕을 얻는 데 노력해야 해.

그만하고 놀러 가자!

안 돼. 난 지금 마음의 양식을 채우느라 엄청 바쁘거든.

또 공무를 맡은 사람이라면 멸사봉공의 정신으로

멸사봉공?

사심을 버리고 나라나 공공의 이익을 위해 힘써 일한다는 뜻이야.

공적인 임무를 수행하는 데 최선을 다해야 하고 말이야.

요즘도 안녕하시죠?

덕분에요.

자신이 서 있는 자리에서부터 마땅히 해야 할 의무를 다하는 삶이

결국은 영예를 얻고 존경을 받는 법이거든.

전국 1등의 비결이 뭔가요?

교과서를 중심으로 열심히 했을 뿐이에요.

작은 일에도 열심히 하는 사람이 큰일에도 성심성의껏 하는 것은 인생의 기본 이치야.

영예를 얻기 위해서는 말하는 법도 중요해.

'말 한마디로 천 냥 빚을 갚는다.'는 속담도 있잖아.

용왕님의 병세는 제 간으로 해결되지 않음을 아뢰오~.

응, 그런가?

말하는 방법에는 두 가지가 있어.

하나는 대화이고

하나는 연설이나 웅변이야.

이 연사 힘~차게 외칩니다!

다른 사람을 잘 설득하려면 말을 제대로 하는 것이 필요하니까.

어머~ 손님. 손님께 딱이에요.

재치 있고 현명하게 말하든지, 장중하고 위엄 있게 말하든지.

대단한 말솜씨야.

청중을 사로잡는 것은 칭찬을 받을 만한 일이겠지?

훌륭해!

정말 멋진 연설이었어.

그래서 특히 그리스·로마 시대에는 웅변이 아주 중요했어.

아니, 이 줄이 다 뭡니까?

유명한 연설가에게 한 수 배우려는 사람들이라우.

수사학을 공부한 이유도 좋은 변론을 하기 위함이었지.

에… 그러니까… 자.

처음부터 다시!

특히 변호사나 정치가가 되려는 사람이라면 이러한 의무에도 많은 노력을 기울여야 해.

피고인은 죄가 없소!

탕

영예를 얻는 것은 그에 필요한 만큼의 의무가 요구되게 마련이지.

오호~.

많은 사람들이 권력을 좋아하고 영예가 따르는 관직을 얻고 싶어 해.

변호사 검사 정치인

하지만 그에 걸맞은 의무는 게을리 하는 사람도 얼마나 많아?

대충 살아도 저런 직업을 가질 수 있다면 참 좋을 텐데.

실제로 영예를 얻는다면 삶은 많은 부분에서 유익함을 얻을 거야.

옆집 아들내미가 변호사라는데 글쎄 연봉이 억 대라지 뭐예요.

어이구야, 팔자 폈네.

그러나 기억해야 하는 것은

스 ― 윽

영예는 그냥 주어지는 것이 아니라 필요한 의무를 충실하게 수행할 때 주어진다는 것이지.

부지런히 배우고 익혀야 하고

무엇보다도 공평한 직무 수행을 통해 정의의 덕성을 함양해야 하며,

수고들 해 주세요.

맡겨만 주세요.

고귀한 정신도 소유하고 참고 절제하는 등

어떻게 그렇게 한 번에 외면하냐!

삶의 훈련을 요구하는 여러 가지 필요한 의무를 성실하게 수행해야 영예를 얻을 수 있어.

영예

의무

여러분 모두 이런 의무들을 충실히 수행해서 영예를 얻는 유익한 사람들이 될 수 있기를.

아들아! 너도 잘 새겨 들으렴.

너의 장래를 기대하마.

네, 아버지.

제9장 **호의와 관대함에 대하여**

앞에서 영예를 얻는 데 도움이 되는 의무에 대해서 알아보았다면

여기서는 호의와 관대함에 대해서 살펴보기로 해.

호의와 관대함도 의무에 해당하거든.

어떻게 하면 관대함과 호의를 얻을 수 있을까?

어떻게 행동하면 관대하고 호의 있는 사람이라고 평가를 받을까?

으~ 어렵도다~.

키케로는 관대함과 호의는 필요한 자들에게 봉사하거나 돈을 줌으로써 얻어진다고 말해.

또 관대함은 모두가 얻기 쉬운 반면에,

특히 부자라면 더 쉽고

호의는 관대함보다 더 영예롭고 훌륭하며 강하고 뛰어난 사람에게 어울린다고 해.

왜냐하면 관대함은 금고에서 나오고 호의는 성품에서 나오기 때문이야.

즉 관대함은 재물과 관계 깊고

호의는 성품과 관계가 깊다는 말이지.

재물을 통해서 관대함을 베푸는 것은 약간의 주의가 필요해.

당신 또 어딜 가는 거예요?

그게… 힘든 사람 좀 도와주려고….

왜냐하면 이런 일이 생기기 때문이지.

당신 때문에 우리 집은 지금 거덜나게 생겼는데 또 돕는다고요?

끄응… 그렇지만.

오늘날 기부 행위가 많은 재력가들에 의해 이뤄진다는 것도 여기에 속한다고 할 수 있지.

아무리 기부를 많이 한들, 가사를 탕진하는 일 따윈 없거든.

그렇기에 관대함을 베푸는 일엔 세심한 주의가 필요해.

아이고~ 난 망했네. 재산을 탕진했으니 이제 뭘 먹고 살아!

미안해, 여보….

그래서 돈으로 도와주는 것보다는

뭐라고? 이게 최고가 아니라고?

봉사, 즉 능력과 근면으로 호의와 관대함을 베푸는 것이 더 좋은 방법이라 말할 수 있어.

달동네

많은 사람에게 도움을 주면 줄수록 친절한 행동은 더 많은 도움을 만들어 낼 것이고

도움이 왔어요~.

또 호의를 베푸는 습관을 통해 더 잘 베풀게 되고 더 많은 사람들에게 더 좋게 여겨지기 때문이지.

봉사는 더 많은 봉사를 낳는 것이 아닐까?

풍작이로세~.

알렉산더의 아버지 필리포스 2세는 알렉산더가 돈으로 마케도니아 사람들의 호의를 사려고 한 것에 대해 이렇게 책망했다고 해.

그래서는 안 된다!

그자들이 네게 돈으로 충성하고 신의를 지킬 것이라는 헛된 희망을 가졌구나! 왜 그런 생각을 하였느냐?

어… 그건!

무엇 때문에 너는 너 자신을 마케도니아의 왕이 아니라 물주나 돈 대는 사람으로 생각하게 되었느냐?

죄송합니다, 아버지.

돈을 함부로 베푸는 것은 호의나 관대함이 아닌 타락의 요인이 될 수도 있으니 위험하기도 하지.

에잉? 나한테 공짜로 돈을 주네?

일도 하지 않고 돈이 생기기를 기대하는 '거지 근성'을 갖게 할 수도 있으니까.

어차피 이렇게 써대도 또 줄 텐데 뭐.

그래서 돈보다는 봉사나 노력으로 도와주는 것이 더 바람직하다고 할 수 있어.

다음부터는 절대 그러지 않겠습니다.

그래. 내 너를 믿으마.

의무론

돈을 나누어 주는 관대함도 물론 있어야겠지.

특히 가난한 자에게 돈을 적당히 주면 아주 큰 도움이 될 수도 있어.

이 돈이면 빵을 살 수 있겠어!

그러나 그런 일은 신중하고 절도 있게 해야 해.

무분별하게 돈을 나누어 주다가 가산을 탕진할 수도 있으니까.

이럴 수가… 금고가 텅 비었잖아!

그렇게 된다면 도둑질과 강도짓을 통해 도와주는 꼴이 될지도 몰라.

날 용서하시오!

위험한 일이지.

그냥 의적이라 불러 주면 안 돼요?

안 돼.

그래서 키케로는 재산을 조금도 내놓지 않을 정도로 인색하지도 말되

내 눈에 흙이 들어가기 전에는 눈곱만큼도 못 줘!

호의가 지나쳐 가산을 완전히 탕진하지도 말라고 가르치고 있어.

그게 마지막 돈인 건 알기나 해요?

부족하지도 지나치지도 말라는 것이지.

적당히 하시죠!

지나치게 호의를 베풀다가 오히려 자신이 구걸하는 때가 올 수도 있으니까.

그건 안 되지!

베푸는 자들 중에는 뒤를 생각하지 않고 마구 베푸는 자들도 있고

불우이웃을 위한 다과회

저 집은 만날 잔치를 하는 것 같아.

반대로 현명하게 베푸는 자들도 있어.

한 달에 한 번 기부하는 날로 정하자.

마구 베푸는 자들은 결국에는 가산을 탕진하고 사람들에게까지 외면당하게 될 거야.

어떻게 나한테 이럴 수 있어! 돈 없다고 무시하는 거야, 뭐야!

흑

절제하며 관대한 자들은 꼭 필요한 일에 제대로 된 도움을 베풀지.

예를 들면 자신의 능력으로 포로들을 되찾아 오거나

장군님 만세!

친구의 빚을 갚아 주거나 재산을 증식하는 일에 도움을 주는 등의 일을 하면서 말이야.

친구 좋다는 게 뭐니? 까짓거 내가 대신 갚아 줄게!

정말 너밖에 없다, 친구여!

대중을 즐겁게 하는 일에 돈을 낭비하지 않도록 해야 해.

이런 일은 아주 경박한 행동이야.

베풀 때는 인색하다는 인상을 주어서는 안 되고,

베푸는 일도 적당한 것이 가장 좋아.

少 多

필요한 때에 필요한 장소에서 적절히 잘 베푼다면 좋은 영예를 얻을 수 있어.

영예 영예 영예 영예 영예 영예

성벽이나 부두, 항구나 상수도 등 나라의 공익에 속하는 일에 베푼다면 아주 바람직한 일이지.

완성하는 데 도움이 되었으면 하는 바람입니다.

인재를 양성하는 장학 재단이나 빈민 구호를 위한 재단에 기여하는 것도 좋은 일이고

평생 모은 '10억' 기부한 김밥 아주머니

아무튼 호의나 관대함도 중요한 의무라는 것만은 잊어서는 안 돼.

중요

정직하고 성실히 일해 재산을 늘리고, 모은 재산을 빈민과 공익을 위해 베푸는 관대함과 호의는

이 돈으로 많은 사람들이 웃을 수 있다면 그걸로 족해요.

KOC PHS

건전한 시민에게 요구되는 중요한 의무라고 말할 수 있어.

대단하다.

이러한 의무에 충실한 사람은 주위 사람들에게 신의와 존경을 받게 되지.

난 죽었다 깨어나도 저렇게는 못 할 것 같은데….

정말 존경스러워.

존경과 신뢰는 삶을 여유 있고 안락하게 사는 데 많은 도움을 줘.

성실한 학생이군. 믿을 만해.

그래, 내일부터 나와서 함께 일해 주겠나?

이력서
봉사활동
35시간

오늘날 사람들이 황금 만능주의에 빠져 소유에만 열중하지만

이 세상에 돈으로 살 수 없는 게 과연 존재할까?

재산을 잘 관리하고 적당히 잘 나누어 준다면 함께 잘 사는 만족을 이룰 수가 있을 거야.

건강한 소유와 소비, 두 가지 모두 공공에 대한 시민의 의무라고 말할 수 있어.

소유   소비

관대함으로 베풀어야 하는 경우는 다양해.

예를 들면 재난당한 자를 도와 주어야 할 경우가 있고,

살려 주세요!

더 나은 미래를 추구할 때에 도와주어야 할 순간이 있을 거야.

역경의 순간 말고도 어디에선가 필요한 때가 있겠지.

아이고, 깨끗하니 얼마나 보기 좋아! 고맙네!

수재나 지진 같은 천재지변을 당한 사람들을

어떻게 살라고~!

물질적으로나 봉사, 기타 다른 능력으로 돕는 것은 마땅한 일이야.

상부상조란 말은 참으로 유익한 말 같지 않니?

우리 생활에 꼭 필요한 말이에요.

있는 자가 없는 자를 돕는 것은 더욱 아름다운 일이지.

우리 같은 여유 있는 사람들이 기부해야지, 누가 하겠나? 자네도 좀 하게.

알겠습니다. 사장님….

욕심에 집착하지 않고 봉사하는 정신이야말로 선한 사회를 위해 반드시 필요한 의무 사항이 아니겠어?

사라져라!

욕심   욕심   욕   욕심

선하고 고마워할 줄 아는 자들에게 베푸는 것은 기분 좋은 일이야.

고맙습니다.

아이고… 이 정도 일로 감사하긴요~.

베푸는 자신에게뿐만 아니라

아… 가슴 한켠이 따뜻해져 온다.

베풂을 받는 자나, 그것을 옆에서 보는 다른 사람도 즐거운 일이지.

짝! 짝! 짝!

고귀한 자가 베푸는 선한 마음은 여러 사람에게 좋은 피난처와도 같아.

꽉 잡으세요!

선심

그래서 가급적 많은 사람들에게 선심을 베풀도록 해야 해.

칙 칙 폭 폭 …

선심

선심

가난한 자를 부유하게 만들거나 공익을 증대시키거나 하는 그러한 선심은

개인에게뿐만 아니라 나라 전체에도 유익할 거야.

나라의 기초가 바르게 세워지는 일이니까.

베풂의 탈을 쓴 낭비는 경망스러운 쾌락을 부추기는 아첨꾼의 속성일 뿐이야.

베 풂

도와드릴게요.

정말요?

반면에 나라를 건강하게 만드는 선심을 베푸는 일은 위대한 정신의 속성이지.

힘이 불끈불끈 솟는다!

의무론

주는 데 관대하거나 요구하는 데 지나침이 없어야 해.

제가 좀 어려운데 딱 금 열 돈만 기부하시죠?

예?

또 사고팔고, 빌리고, 빌려 주는 일에 공정해야 하고,

동전 한 닢에 사과 하나 어떻소?

그거 괜찮네. 좋소!

많은 이들에게 이익이 돌아가는 것이 좋아.

이익

이익

이익

이익

지나치게 낭비하고 가산을 탕진하는 것은 부끄러운 일이지만

저 사람이 글쎄….

동네 창피해서 얼굴을 들고 다닐 수가 없네.

그렇다고 지나치게 인색한 것도 멀리해야 해.

엥? 어디서 내 욕하는 소리가….

스크루지

재산을 잘 사용해 선심을 베푸는 것은 돈이 만들어 주는 최대의 기쁨이지.

내가 한 말이지만, 참 군더더기 하나 없군그래.

여러분은 어떻게 생각해?

끄응~!

돈 벌 생각만 하지 말고

헉!

거 참, 알기 쉬운 녀석일세….

뜨끔

무엇을 위해 돈을 벌고 어떻게 쓸 것인지도 함께 생각하렴.

좋은 목적을 위해서 돈을 모을 때 정의로운 방법으로 벌게 되는 법이니까.

정의롭게 벌어야 또 당당하게 쓸 수 있고 말이야.

그래! 정당하게 번 이 돈으로 전부 장난감을 사겠어.

그래도 지나친 낭비는 금물!

소유의 즐거움을 넘어 나눔의 즐거움에 대해서도 훈련해야 해.

이런 것은 선한 시민의 의무에 속하지.

키케로는 훌륭한 사람들의 집이 훌륭한 손님에게 개방되고

어서들 오시오!

외국인들이 이러한 선심에서 소외되지 않도록 하는 것이 공화국이 갖추어야 할 일이라고 말하고 있어.

뱃길이 험했을 텐데 힘들진 않았소?

덕분에 편하게 왔습니다.

이런 가르침에 따라 오늘날 우리나라에 살고 있는 많은 외국인들에게

북적

북적

선한 일을 도모하고 선심을 베푸는 데 인색하지 말아야겠다는 생각이 들어.

익스큐즈 미~. 편의점을 가려면 어디로 가야 하죠?

가까운 곳에 있어요! 절 따라 오세요.

돈을 풀어서 베푸는 것보다는

개인적으로 직접 일이나 봉사를 통해 호의를 베푸는 게 참으로 좋은 일이며,

모두가 갖추어야 할 의무의 한 부분이라 강조하고 싶어.

오잉?

의무

의무

시민들이 자발적으로 서로 돕는다는 것은 우리 민족이 가진 상부상조의 정신과도 맞는 일이야.

새참 먹고 해요~.

법률 지식으로 많은 이들에게 봉사하는 것은 도움을 받는 이나 주는 이에게 모두 좋은 일이야.

주는 이는 자신의 영향력과 인기에 좋은 역할이 되고,

받는 이에겐 아주 유익한 일이지.

의무론

웅변이나 연설도 법률 상담과 깊은 관련이 있어.

연설에 능하면 좋은 인기를 얻는 데 유익하거든.

청중을 감동시키고,

궁핍한 자들에게는 희망을 주지….

또 보호받는 자들에게 감사의 마음을 갖게 하는 데 웅변은 아주 좋은 기술이지.

감사합니다.

그리스·로마 시대에서는 웅변이 많은 영향력을 행사했어.

오늘날 정치가들의 연설과 비슷하지.

대통령의 대국민 담화가 있겠습니다.

크흠!

변호사가 되어 억울하게 억압받는 시민들을 위해 훌륭한 변론을 무료로 한다면 얼마나 유익한 일일까?

도움을 주는 일에도 세심한 배려가 있어야 해.

어떤 집단을 도울 때 다른 집단에 피해를 주지 않도록 주의를 해야 하지!

오호라!

이런 실수는 흔히 저지르기 쉬워.

고생하시는데 힘내시라고 빵 좀 사왔습니다.

그 실수는 도덕적으로 나쁜 일이 될 수도 있고 바람직하지 않은 일이 될 수도 있어.

억… 실수!

본의 아닌 실수라면 그것은 부주의의 소치고

지금 우리를 놀리는 거야, 뭐야?

아니, 이건 우연히…!

고의적으로 그런 것이라면 바보라고 키케로는 아들에게 주의를 주고 있어.

그러니까 고의가 아니라고!

바보

또 잘못해서 손상을 주었다면 기꺼이 봉사와 의무로써 손실을 보상해야 한다고 말해.

실수하지 않도록 사전에 주의깊게 생각해야겠어요.

호의를 베풀 때는 권력과 재산이 있는 사람들보다는

에잉?

가난하고 선한 사람에게 베푸는 것이 더 낫다는 것을 기억해야 해.

왜요! 이건 차별이야!

왜냐고? 이런 사람들은 고마운 마음을 항상 품고 있을 테니까.

돈을 갚으면 나중에 더 이상 갚을 것이 없게 되지만

다 갚았다. 아, 시원해!

호의는 아무리 갚아도 항상 그대로 남아 있겠지?

마음에서 우러나오는 감정이니까.

그러니 돈을 베푸는 것보다 호의를 베푸는 것이 더 좋은 것이야.

그건 나도 아는 거고! 내 말은 왜 나같이 잘사는 사람에겐 호의를 베풀지 않는 거냐고요!

씩 씩

알았어. 설명해 줄게.

너와 같이 부유하고 유복한 자들은 호의를 받아도 흔히 이렇게들 생각하지.

호의는 무슨! 나한테 바라는 게 있으니까 이런 걸 해 주는 거지. 오히려 내가 호의를 베푸는 격 아닌가?

봤지?

그러나 가난하지만 겸손한 자들은 도와주면

먹을거리를 아무 이유도 없이 주시다니…!!

감사해요.

파닥

시민의 대다수는 이런 생각을 하게 돼.

저 정도라면 우리도 거뜬하게 도와줄 수 있는 거잖아!

어때? 훨씬 영향력이 크지!?

그렇기 때문에 부유한 자들보다는 가난한 자들에게 호의를 베푸는 것이 낫다.

쳇…

의무론

국가와 시민을 위한 선행은 적극 장려되어야 해.

모두들 국가와 시민을 위해 선행합시다! 선행!

단, 각자에게 손해가 생기지 않도록 배려하고

이 정도 선에서 합의 보죠?

그럼, 수고하세요!

국가 전체에도 유익하도록 해야 한다는 것에 유의해야 해.

보기 좋네들! 힘내게!

국가

사유재산에 국가가 간섭하지 않도록 주의해야 해.

국가를 위한답시고 개인의 재산을 마구 침해한다면 누가 그런 국가를 좋아할까?

후다닥~

거기 서라!

국민이 외면하는 국가가 건강하고 강한 국가가 될 수 있을까?

아무도 없잖아!

거기 누구 없어요? 나 혼자선 무섭다고!

만약에 국가가 어려움을 극복하기 위해서 불가피하게 많은 세금을 거둬야 한다면

기존 세금의 20% 인상

뭐… 뭐야! 왜 이렇게 많이 올랐어!

전 국민이 납득할 수 있도록 노력해야 할 것이며,

국민 여러분 죄송합니다. 나라를 위해서 조금만 애써 주세요. 저도 노력하겠습니다.

저렇게까지 말씀하시니… 어쩔 수 없지.

국민들이 생활하는 데 꼭 필요한 물품들이 제대로 공급되도록 배려해야 한다고 키케로는 말하고 있어.

세금이 올라서 생활고에 시달리는 국민들이 있을 것이다. 그들에게 최소한의 의식주는 보장해 주도록.

예!

키케로는 참 믿음직한 사람인 것 같아.

그러니까 우리 아버지죠!

확끈~

국가적인 행정 업무나 공공 업무를 수행할 땐 사리사욕을 추구한다는 혐의를 결코 받아서도 안 돼.

저 사람이 글쎄 공금으로 자기 배를 채운다지 뭐예요.

헉!

결코 뇌물을 받아서는 안 된다는 것은 두 말하면 잔소리지.

거기들! 동작 그만!

이런 점에서 난 아프리카누스*란 사람을 아주 칭찬하고 있지.

크음.

*아프리카누스 Africanus(B.C.236~B.C.184) - 고대 로마의 장군, 정치가.

왜냐고? 그는 카르타고를 멸망시키고도 전혀 부를 취하지 않았거든.

장군! 이걸 다 어찌 할까요? 가져갈까요?

안 가져가. 냅둬.

그의 아버지 파울루스도 마케도니아의 전 재산을 소유하게 됐지만 모두 국고에 넣었지.

이것들을 잘 부탁해요!

장군 한 명이 행한 선행이

크흠~

이까짓 게 무슨 선행이라고….

결국 전쟁세 납부를 없애는 결과를 가져왔지.

전쟁세 납부 철폐!

탕

그러니 그 나라의 국민들은 국가를 얼마나 신뢰하겠어?

동료들의 신뢰를 얻지 못하는 사람은 성공할 수 없는 것처럼

자네 대체 무슨 짓을 하고 다니길래 평판이 이리 안 좋나?

으앙! 난 망했다!

마찬가지로 국민의 신뢰를 얻지 못하는 나라도 결코 번성할 수 없는 법이야.

이제부터 잘할게. 떠나지 마!

됐거든요!

우르르~

나라의 최고 권력자들, 혹은 통치자들이 탐욕을 품는 것은 가장 큰 도덕적 결함이야.

크흐흐….

이런 사람들은 국가를 자기 욕심을 채우는 데 이용하지.

저렇게 세금으로 자기 배만 채우면 나라는 어쩌라고….

아~ 좋다!

꺼억~

사실 역사 속 몇몇 국가들이 몰락한 이유가 바로 이 때문이야.

우르르—

왕가의 부패가 나라의 흥망을 좌우했으니까.

빵이 없으면 비스킷을 먹으면 되잖아.

호호.

뭐라고…?

통치자의 욕심은 결국 국가와 민족의 몰락을 초래하지.

마리 앙투아네트*를 처형하라!

*마리 앙투아네트 Marie Antoinette(1755~1793) – 프랑스 루이 16세의 왕비.

국민의 인기에 영합하기 위해서 인기 정책을 쏟아 낸다든지,

1인 1주택 소유를 가능케 할 것입니다!

정말로?

채무자의 부채를 말소한다든지,

당신 자꾸 이렇게 체납하면 고소할 줄 알아.

고소하든지~ 그거 다 말소된 것 모르나 봐.

체납금

토지 소유자들을 내쫓아 버린다든지,

나가! 이제부터 여기는 국가 소유지다!

무슨 소리야! 내 땅인데!

뻥

일부 사람에게서 재산을 빼앗아 다른 사람에게 나누어 주는 것은

넌 부자니까 저 사람에게 재산의 반을 나눠 주도록 해. 어기면 알지…?

나라의 기초를 흔드는 행위라고 키케로는 날카롭게 비판해.

나라를 망하게 하려고 안달이 났나!

이런 행위는 국민을 화합시키지 못하고 형평을 깨뜨리는 것이니까.

이런 방식으로 재산을 받은 사람은 그것에 대해 고마움을 갖지도 않을 것이고

받으라 해서 받기는 했지만… 이거 굉장히 찝찝한데….

반면에 재산을 빼앗긴 사람은 오래도록 분노와 반감을 갖게 될 거야.

자기가 왕이면 다야? 뭐 이런 막돼먹은 나라가 다 있어!

광

이런 상황에서는 국가가 혼란에 빠지고

나라 재정이 바닥났습니다!

뭣이?

독재자가 출현하게 되며

그럼 부자들 재산을 갖다 채우면 되잖아! 뭐가 문제야!

국가는 분열되거나 혹은 나라 전체가 몰락하기도 해.

꼬르륵……

그래서 국가는 나라의 안녕을 해치는 부채를 지지 않도록 주의해야 해.

빚더미

광

으악!

그 부채는 결국 국민의 몫이 되니까.

국고가 바닥나 더 이상 드릴 월급이 없습니다. 그러니 해고!

뭣이?

부채가 생기면 그 문제를 합리적으로 해결하도록 노력해야 해.

참 어려운 문제로군….

부유한 사람에게서 빼앗는다든지, 채무자가 남의 재산을 차지하는 일이 발생하지 않도록 하고,

내 돈 돌려줘!

피—융

시민 각자가 부당하게 자신의 재산을 손해보는 일이 없도록 유의해야 한다는 말이야.

으악!

법에 따라, 형평의 원칙에 따라 사유 재산은 보호를 받아야 해.

빈곤층들이 가난하다고 억압받지 않도록 해야 하며,

가난이 무슨 죄라고! 누군 이렇게 태어나고 싶어서 태어난 줄 알아!

흑

동시에 그들의 시기심과 질투심 때문에 부자들이 재산권을 행사하지 못하는 일도 없어야겠지?

네가 나서서 가난한 자들에게 돈을 주거라.

부자들이 무슨 봉입니까?

공평한 조세와 형평성 있는 분배로

할 수 없지. 그럼 공평하게 다른 이들보다 많이 버는 만큼 세금도 많이 내도록.

끄응~!

모든 국민들이 의무를 행하면서 행복과 평안을 느낄 수 있도록 국가는 배려해야 해.

나라 걱정을 덜어 주니….

한결 마음이 편해지네.

강한 나라는 의무를 다하는 건강한 국민에게서 나오는 것이니까.

사실 재산도 유익한 것 중에 하나이기는 해.

그렇다고 재산이 꼭 많아야 하는 것은 아니지만.

삶의 여유를 즐기기에 충분한 재산이 있다면 아주 유익하지 않겠어?

안락한 집도 사고

맛있는 밥도 사 먹을 수 있고

모락 모락

그러나 그 재산은 무엇보다 정의로운 방법으로 획득되어야 하고, 근면 절약으로 보존되어야 해.

저금하는 습관을 들여야겠어.

또 앞서 배운 대로 재산을 호의와 관대함에 따라 사용해야 하는 의무도 잊어서는 안 되겠지?

결식아동 돕기 모금함

수

북

재산 추구가 도덕적으로 악하고 타락한 것이 아니면 반드시 허용되어야 하고 말이야.

당신 재산은 압수해야겠군….

뜨끔!

재산과 마찬가지로 건강도 유익해.

건강

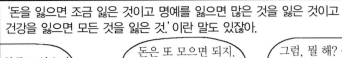

'돈을 잃으면 조금 잃은 것이고 명예를 잃으면 많은 것을 잃은 것이고 건강을 잃으면 모든 것을 잃은 것.' 이란 말도 있잖아.

한푼도 없으니 어쩌지.

돈은 또 모으면 되지. 잃어버린 명예는 어떡할 건데.

그럼, 뭘 해? 몸 아프면 아무것도 못하거든?

창백!

실제로 건강을 잃으면 모든 것을 잃는 것이나 마찬가지야.

몸이 너무 아파 아무것도 못하겠어.

건강하지 못하면 원하는 것을 제대로 할 수 없으니까.

놀러 가고 싶은데 이래서야 뭘하겠어.

'건강한 몸에 건강한 정신.' 이라고 하잖아.

좋은 건강을 유지하는 것도 유익한 일이니까 의무에 속한다 볼 수 있지.

그러나 건강을 유지하려면 자신의 신체에 대한 지식과 몸에 무엇이 좋고 무엇이 나쁜지를 관찰하고 여러 정보를 알도록 노력해야 해.

이런 기본 지식들이 있으면 건강을 유지하는 데 큰 도움들이 될 거야.

끄응… 이걸 다 언제 익혀.

오늘날 많은 사람들이 말하는 웰빙이 이런 것을 의미하는 것일 거야.

웰빙식단

노동을 아름답게 여기고 게으르지 말고

일하는 자의 땀방울이 얼마나 아름다운데.

감각적인 쾌락을 멀리하고 신체를 바르게 유지하며

무시! 무시!

모든 생활에서 정신적인 안락과 지속적인 절제가 건강에 유익한 의무야.

물론 전문적인 의술의 발전도 중요해.

유익한 것들 중에도 종종 비교가 필요할 거야.

신체적인 좋은 조건으로 인한 이점과 신체 외적인, 즉 부나 명예 등에서 오는 이점 사이에 비교도 흔히 있지.

뭐, 뭐요? 그게 무슨 말이에요?

쉽게 풀어서 설명해 줄게.

가령 건강이냐, 부냐 하는 비교가 있을 수 있을 거야.

아는 사람이 소개시켜 준 일이 있는데 수입이 좋대!

이런 경우엔

근데 일이 워낙 힘해서 다치는 사람이 많다는 게 흠이야….

뭐…?

건강이 부보다는 더 중요한 선택이겠지?

그렇게 아프고 다치고 해서 돈 벌면 뭐하냐, 안 해.

반면에 몸짱이냐, 부냐 하는 비교에선

많은 이들이 몸짱보다는 부를 택하겠지?

부 부

최고의 신체를 갖는 것보다 부가 더 유익하다고 생각하니까.

으앙, 창피해~!

그 밖에 건강한 몸이 감각적 쾌락보다는 유익하다는 등, 유익함 사이에 비교가 여러 가지로 이뤄지지.

건강 VS 부

몸짱 VS 부

우리가 여기서 전부 다루지는 못하지만 이러한 비교도 《의무론》에 속하는 주제야.

그럼, 이제 제10장으로 가 보자고!

제10장

제10장 세 번째 이야기

도덕적 선과 유익함의 충돌

지금까지 우리는 도덕적 선과 유익함에 대해서 살펴보았어.

이젠 이 둘의 충돌이라는 문제에 대해서 알아볼 거야.

까악!

왜냐고?

도덕적으로는 선하지만 유익하지는 않다거나, 유익하지만 도덕적으로 선하지 못한 일들이 있을지도 모르니까.

끄응~.

이해가 잘 안 가는 표정이군.

하…하하.

차근차근 설명해 줄게. 따라와!

예.

앞에서도 잠시 말했듯 키케로의 《의무론》이란 책은

파나이티오스가 쓴 《의무론》을 바탕으로 해서 만들어졌어.

키케로 자신도 《의무론》에 대한 가장 완벽한 논의를 제공한 사람은 파나이티오스며

따봉!

이를 약간 수정해 그의 의견을 따랐다고 인정하고 있어.

인정할 건 인정해! 난 솔직함이 매력인 남자거든.

파나이티오스는 그의 《의무론》에서 세 가지로 분류해 논했어.

밑을 봐 주겠소?

첫 째
도덕적으로 옳은가? 옳지 않은가?

둘 째
유익한가? 유익하지 않은가?

셋 째
도덕적으로 옳은것과 유익한것이 상충할 때 어떻게 할 것인가?

첫 번째와 두 번째 문제는 우리가 살펴본 그대로야.

세 번째 문제에 대해서는 파나이티오스가 다음 책에서 논하겠다 약속했지만

지키지 못했지. 왜 그러셨어요?

왜 그가 약속을 지키지 않는지는 의문이었어.

앗! 도망간다!

책이 나온 뒤에도 그는 30년이나 더 살았거든.

모부광

에이고! 나이 드니 삭신이 쑤시는구먼

그래서 이런 주장을 했던 사람도 있었던 모양이야.

도덕적 선과 유익함의 상충에 대해 고의적으로 넘어간 것 아냐?

그럴지도… 충분이 가능성 있어.

그러나 키케로는 이렇게 말했지.

아닐세. 그는 분명 쓰려 했지만 쓰지 못한 사연이 있었을 거야.

아무튼 파나이티오스가 완성하지 않고 남겨 둔 이 문제를 키케로가 넘겨받은 것은 분명해.

토~스!

통!

이 문제에 대한 키케로의 입장은 한마디로 분명해.

도덕적으로 선한 것은 유익하고, 도덕적으로 선하지 않은 것은 유익하지 않다!

자네 그게 무슨 말인가.

통 못알아 듣겠군.

그러니까 도덕적으로 선한 것이 유익하지 않다든지, 유익한 것이 도덕적으로 선하지 않다든지 하는 것은 있을 수 없단 말일세!

왜냐하면 도덕적으로 선한 것만이 유익하기 때문이지! 이것이 진리!

소크라테스도 도덕적 선과 유익함을 분리하는 자들을 저주했다고 해.

크르릉

스토아학파는 이 생각을

받으시오~.

생각

그대로 받아들였지.

도덕적선 = 유익함

도덕적선 = 유익함

당시에는 도덕에 대해 세 가지 주장이 있었어.

첫째는 스토아학파야.

도덕적으로 선한 것만이 선이라 하지!

즉 도덕적 선이 유일한 선이라는 입장이지.

이에 반해 소요학파*에선

아리스토텔레스의 영향을 많이 받은 학파이지.

도덕적 선이 최고의 선이기는 하지만

최고!

그 밖에도 다른 선들이 존재한다고 생각해.

너도 최고!

너도 최고!

쉭 쉭

*소요학파 – 고대 그리스 철학파의 하나. 아리스토텔레스가 학원 안의 나무 사이를 산책하며 제자들을 가르쳤다는 데서 붙은 이름이다.

키케로는 스토아학파에 속해.

반면에 그의 아들은 그리스 아테네에서 소요학파의 대표적인 선생 밑에서 공부하고 있는 중이었어.

아들! 너 설마…!

헉!

그, 그래요! 전 소요학파에 속하는 사람이에요!

이 녀석! 아빠가 좋고 해 놓고는 다른 길을 걷다니, 어떻게 네가 이럴 수 있어!

조용 조용! 아직 소개할 학파가 하나 더 남아 있다고!

네….

크으….

마지막으로 에피쿠로스* 학파의 주장이야.

창시자인 나, 에피쿠로스가 제자들을 정원에서 가르쳐 일명 '정원학파'로도 부르지.

이 학파에서는 최고의 선은 쾌락이고 악은 고통이라고 주장해.

쾌락주의!

*에피쿠로스 Epicouros(B.C.341~B.C.270) - 고대 그리스 철학자.

도덕에 대해 스토아학파와는 정반대 입장이라고 할 수 있지.

흥!

그에 비해 소요학파는 어느 정도 온건한 입장이지.

중립!

아마 여러분 중에서 이 세 학파의 주장에 동의하지 않거나

도덕에 대해서 내 생각은 좀 다른데….

나도….

키케로의 생각에 동의하지 않는 사람도 당연히 있을 거야.

그건 아저씨 생각이고요.

저희는 좀 달라요.

그렇다 해도 이 문제에 대해서는 앞으로 깊게 생각해야 해. 아주 중요한 문제니까.

어쨌든 최고의 선에 대해서 스토아학파와 키케로는 자연에 적합하게 사는 것이라고 말해.

자연이란 질서와 조화의 덕의 총체이기 때문에

자연

질서   조화

이해 되나요?

자연에 일치한다는 것은 덕에 일치해서 산다는 것을 뜻하지.

한 배를 탔네 그려.

그러게.

동동

자연   덕

의무론

사실 최고의 수준에서 도덕적 선에 속하는 모든 의무들을 최고의 수준으로 전부 수행하는 현자는 거의 없다고 할 수 있어.

어떻게 하면 저럴 수 있는 거야…?

세상에 죄를 일절 범하지 않은 그런 의인이 있을까?

물론 그렇게 하는 것이 가장 이상적이기는 하지만.

과연 일생 동안 요만큼의 죄도 범하지 않은 사람이 있겠냐는 말이지.

그렇다 해도 우리는 도덕적 의무에 대해 침묵할 수는 없을 거야.

침묵해서도 안 되고.

일반 생활에서 의무란 대단히 중요한 것이야.

의무

그리고 이런 의무들은 모든 덕에서 완전한 의무를 말하기보다는 평범한 보통 사람들에게 요구되는 것들이지.

의무라 해서 꼭 대단한 건 아니야.

오호~.

의무

이러한 덕들은 스토아학파에 의해 제2의 도덕이라고 불리는 것들이지.

모든 부류의 인간들에 의해 공유되는 것이라 말할 수 있어.

와글

와글

이익과 편리를 기준으로 도덕적 선과 유익함을 비교하는 행동은 어찌 보면 당연한 일일지도 몰라.

난 장남이니까 천 원, 넌 막내니까 백 원, 공평하지?

뭐가 공평해!

대부분의 사람들은 사실 도덕적 선에 대해서는 별로 관심이 없지만 이익에 대해서는 아주 예민하거든.

아니, 장유유서란 말도 몰라요? 원래 손윗사람이 더 많이 가져야 하는 거라고요!

그거랑 장유유서랑 뭔 상관인데….

그래도… 오히려 이런 비교가 훨씬 더 보편적이고 상식적일지도 몰라.

에휴

사실 도덕적으로 선하다는 절대적인 기준이 가능한가도 어려운 문제야.

이 정도는 돼야 하지 않겠어?

무슨 소리! 적어도 이 정도는 돼야지!

사람을 죽이지 말라는 말은 분명히 도덕적으로 선한 말이지만,

살인은 죄악이오!

전쟁에서는 오히려 사람을 죽이는 일을 당연시하잖아.

탕 쾅

적들을 모두 전멸시켜라!

키케로는 이렇게 묻고 있어.

폭군을 살해한 당신! 자신의 행동이 악하다 생각하고 있소?

그럴 리가!

그래서 그는 도덕적으로 선한 것이 유익함과 상충한다고 여겨질 때마다

이대로 가다가는 싸움 나겠어.

도덕적 선

유익함

규칙을 마련해야 한다고 말해.

쾅

규 칙

이러한 규칙은 스토아학파의 가르침에 적합하고 키케로 자신도 이 가르침을 따르고 있어.

스토아

규 칙

스토아

물론 플라톤의 가르침을 따르는 스토아학파나, 아리스토텔레스의 가르침을 따르는 소요학파는

스토아 학파

음….

소요 학파

최소한 도덕적으로 선한 것이 유익하지 않다거나 유익한 것이 도덕적으로 선하지 않다는 주장은 안 하지.

우린 이런 말을 한 적 없는데?

아뇨 아뇨! 그게 아니라….

도덕적으로 선한 것은 무엇이든지 유익하게 보이고, 도덕적으로 선하지 않은 것은 무엇이든지 유익하지 않다는 주장이…

바로 제가 말하려는 것이죠.

남에게서 빼앗아 자신의 이익을 도모하는 일은,

크크크….

죽음이나 빈곤, 질병보다 더 자연에 반하는 것이야.

우리보다 더 나쁜 놈일세!

죽음 빈곤 질병

왜냐하면 그런 행동은 명백한 불의로서 인간 사회의 유대를 파괴하기 때문이지.

와르르

아악!

으아악!

자신의 이익을 위해 물건을 훔치거나 강탈을 일삼는 사회는

당신 돈은 내 돈! 내 돈도 내 돈! 이리 내!

분명 그 누구도 서로를 믿지 않고 작은 일에도 목숨 걸고 싸우다

세상 사람 모두가 적이야….

결국은 몰락하고 말 거야.

꼴깍

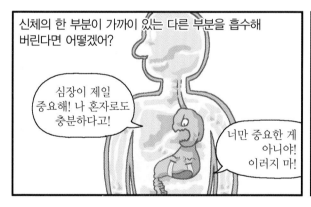

신체의 한 부분이 가까이 있는 다른 부분을 흡수해 버린다면 어떻겠어?

심장이 제일 중요해! 나 혼자로도 충분하다고!

너만 중요한 게 아니야! 이러지 마!

그 몸은 금방 약해지고 사라질 거야.

있는 대로 다 내놔!

탈

탈

마찬가지로 인간 사회나 공동체는 반드시 파괴될 거야.

그러므로 남의 것을 빼앗아 자신의 부를 증대시키는 것은 결코 용납할 수 없는 악이야.

네 죄를 알겠더냐!

잘못 했습니다.

이건 삼척동자도 아는 내용이고, 인류의 모든 법이 인정하는 원칙이지.

법이 뭔지 모르겠지만 남의 물건을 훔치는 게 나쁜 짓인 건 알아.

사람의 양심에 비춰 볼 때도 자명한 것이고,

갖고 싶으면 돈을 모아서 사야겠지?

이렇게 기본적이고 필연적인 조항은 사람이라면 당연히 지켜야 하는 도리와 의무에 속해.

의무는 자연이 선사한 인간의 본성에서 자연스럽게 나오는 것이지.

의무 의무 의무 의무

혼자서만 그 어떤 고통도 없이 살며, 최고의 쾌락과 재산만을 추구하는 사람과

자신의 능력이 닿는 한 다른 이들을 도우려고 노력과 수고를 아끼지 않는 사람을 비교할 때

누가 더 자연에 맞을까?

당연히 덕을 실천하는 사람이 더 훌륭하겠지?

으악ㅡ.

타인에게 해를 끼치면서도 자연과 인간 본성에 거스르는 짓이 아니라고 말하는 자를

아니, 이 정도로 인간 사회 기강이 흔들리겠어요?

키케로는 이렇게 부르지.

인간성이라고는 전혀 없는 비정한 사람!

자신의 죄도 모르고 말이야. 당신은 그렇게 불려도 돼!

네….

다른 이들에게 존경 받기를 바라는 것은 자연의 본성에 따른 것이기 때문에 당연한 것이야.

하지만 전체의 이익에 기여하며 칭찬과 존경을 받아야 해.

타인을 해치며 칭찬과 존경을 받으려는 것은 명백한 잘못이야.

이리 내놔!

사람은 모두 동일한 자연법을 적용받고 있으며,

또 자연법이 타인을 해치지 못하도록 정하고 있거든.

명   등

누군가가 자신의 편의를 위해 부모 형제로부터 무언가를 빼앗는다면 어떻겠어?

그야 엄청나게 나쁜 짓이죠!

맞아!

그렇다면 부모형제가 아닌 타인에겐 해도 되는 걸까?

그것도 당연히 나쁜 짓 아니겠어요?

도둑 살려!

부모 형제에게 나쁜 행동이라면 다른 이들에게도 나쁜 법이지.

누군가 자신이 편하려고 내 부모형제에게서 빼앗는 것이 악한 일이면,

왜 뺏는 거야?

이거 놔요!

나의 가족을 위해 타인에게서 빼앗는 것도 나쁜 일이야

딸 수술비 때문에….

그래도 그건 잘못된 일이야.

그러므로 자국 시민을 위해 외국인에게서 강탈하는 것도 마찬가지로 악한 일이다, 이 말이지.

경고!

어떤 것은 도덕적으로 악하고 나쁘니 해서는 안 되고

잠깐, 스톱!

어떤 것은 도덕적으로 악하지 않기 때문에 해도 된다는 판단은

이것들은 전부 해도 돼!

대부분 자연이 허락한 인간의 본성에 따라 쉽게 할 수 있지.

특히 양심에 따라서!

그래서 키케로는 파나이티오스가 미완으로 남겨 둔 이 작업에 대한 연구를 끝내려는 거야.

꽤 많군….

왜냐고?

파나이티오스가 이런 문제를 언급한 것은

도덕적으로 선한 것과 유익한 것이 실제로 상충한다든가, 유익함을 도덕적 선에 앞세우려고 한 것이 아니라

분명히 설명하려고 어쩔 수 없이 구분한 것일 거야!

도덕적선과 유익함의 상충

키케로는 단적으로 도덕적으로 선한 것을 제외하면 그 자체로 추구해야 할 만한 것은 단 하나도 존재하지 않는다고 말해.

도덕적 선이 없는 것들은 악할 수 있어.

그러니까 추구할 만한 것이 여러 가지가 있다 하더라도

윽! 뭐부터 해야 하지?

최소한 도덕적 선은 가장 중요하게 여겨져야 한다는 거야.

그래! 저거다!

도덕적 선

이것이 《의무론》의 교훈이야.

도덕적으로 선하지 않은 것은 결코 유익하지 않으니 추구하지 마라!

의무론

키케로는 도덕적 선과 유익함의 상충이란,

실제로는 유익하지 않지만 유익한 것으로 보여지는 것과

도덕적 선 사이의 상충일 뿐이라고 주장해.

넌 가짜야!

도덕적으로 선하지 않은 것은 당장은 유익해 보여도

결국은 유익하지 않다는 말이지.

변신!

그러니 도덕적 선과 유익함 사이에는 어떤 갈등도 없다는 말이야.

도덕적 선과 유익함은 서로 분리될 수는 없으니까.

이 둘을 분리하는 건 인간의 삶에 해를 끼치는 재앙이야.

실제로 사람들은 유익해 보이는 것들에 의해 심적 동요가 일어나는 경우가 흔히 있어.

잘 되면 평생 배부르게 살 거야.

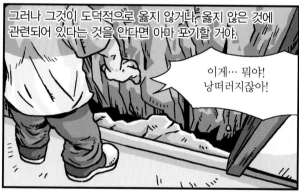
그러나 그것이 도덕적으로 옳지 않거나, 옳지 않은 것에 관련되어 있다는 것을 안다면 아마 포기할 거야.

이게… 뭐야! 낭떠러지잖아!

이 포기는 유익함을 포기한 것이 아니라

관두자.

에휴—

도덕적으로 악한 것에는 어떠한 유익함도 존재할 수 없다는 것을 깨닫는 것을 말해.

괜히 도박 같은 것에 손댔다가는….

바로 지혜를 얻는 순간이라고 할 수 있지.

그러므로 유익하다 여겨지는 것을 선택하면서 도덕적 선과 분리시키려는 것은 옳지 못한 사람들의 잘못이야.

크크크….

약탈이나 위조, 위증이나 권력욕 등은 인간의 도리와 의무에 반하는 옳지 못한 것들이지.

옳지 못한 사람들 중에

종종 물질적 이익만 바라보고 그것이 가져올 형벌을 보지 못하는 경우가 있어.

난 이제 부자다!

요건 몰랐지.

키케로가 말하는 형벌은 그들이 미꾸라지처럼 잘도 빠져나오는 법의 형벌만을 말하는 것이 아니야.

이쯤이야 식은 죽 먹기지!

실제로 모든 형벌 중에서 가장 가혹한 형벌은

이제부터 넌 전과범!

헉!

도덕적으로 타락한 악 자체를 의미하니까.

알고 보면 모든 고통은 악에서 나오니까.

난 몰라!

도덕적 선을 따를 것인가? 아니면 눈앞에 있는 물질적 이익을 따를 것인가를 고민하는 우유부단한 사람은

끄응~.

도덕적선   물질적 이익

사라져야 한다고 키케로는 말해.

추방!

뻥

너무 과격한 것 아니에요?

꼭 그렇지도 않아.

왜냐하면 이렇게 망설이는 것 자체에 이미 죄가 숨어 있기 때문이지.

헉! 들켰다.

키케로는 단지 도덕적으로 악한 경우에는

케 케 케 케 케

행동으로 옮길 생각을 조금이라도 해서는 안 된다는 것을 말할 뿐이야.

이쪽도 좀 봐 줘~!

우르르

그런 행동이 비밀로 숨겨질 것이란 희망은 버리는 것이 좋아.

다른 사람은 속일 수 있을지언정 자신의 양심은 결코 속일 수 없으니까.

난 네가 지난 밤에 한 일을 알고 있다!

또 일시적인 충동과 무절제한 사고와 행동으로는 아무것도 이룰 수 없어.

옆길로 새는 것 하나는 끝내준다니까….

키케로는 스토아학파에 속해.

스토아학파

우리 스토아학파는 도덕적으로 선한 것을 유일한 선으로 여기고 있어.

이 스토아학파와 맞서는 다른 학파가 있는데…

불쑥…

쾌락을 최고의 선으로 보고 고통을 최고의 악으로 여기는 에피쿠로스학파야.

흔히들 우리 학파를 쾌락주의라 부르지.

키케로는 이 학파를 아주 혐오해.

시끄러운 녀석들! 저리 가 버려!

에피쿠로스

그도 그럴 것이…

유익함과 도덕적 선은 충돌하지 않는다고!

씩 씩

그리고 어떻게 쾌락이 최고의 선이 될 수 있어! 쾌락은 도덕적 선에 반대되는 것이라고!

그렇다고 해서 에피쿠로스학파가 덕을 무시하진 않아.

모르는 소리!

우리가 쾌락을 최고의 선으로 추구하고는 있지만 덕도 높게 평가하고 있다고!

그 이유는 덕이 도덕적인 선이기 때문이라기보다, 덕이 최고의 쾌락을 가져오기 때문이지.

이것 봐, 여기에도 덕을 중요시한다고 써 있잖아.

뭔가 꺼림칙한데….

이 말을 바꾸어 말하면,

쾌락을 산출하지 못하면 덕은 중요한 것이 될 수 없다는 말이야.

뭐야! 결국 쾌락이 최고라는 얘기잖아!

이렇듯 《의무론》의 주장과는 많이 다르지.

쾌락이 최고의 선이야!

무슨 소리! 도덕적 선만이 유일한 선이야!

그래서 키케로는 도덕적으로 선한 것의 수준을 지키기 위해서

안 되겠어! 이대로 가다가는 모두들 쾌락에 빠져 살지도 몰라!

손발을 총동원해 쾌락주의의 주장과 맞서 싸워야 한다고 말해.

결사 반대!

쾌락주의

뭐, 뭐야!

애피쿠로스

그럼, 이제 앞에서 우리가 공부한 도덕적 선에 속하는 네 가지 덕을 쾌락주의의 관점에서 살펴보자.

헉 헉

쾌락이 최고의 선이 되는 주장에서는

쾌 락

지혜란 덕은 어떤 기능을 할까?

아마 지혜는 가능한 많은 자료로부터 쾌락을 수집하고 최고의 쾌락을 주선하는 일을 하겠지?

이게 가장 좋겠군!

좋은 쾌락이란?

어떤 쾌락을 선택하는 것이 더 좋은지를 알려주는 임무란 말이야.

고민이 될 땐 이 방법대로 하시면 될 겁니다.

키케로는 이에 대해서 이렇게 말해.

저것이 지혜의 역할 중에서 가장 추해.

두 번째 덕인 용기는 어떻게 설명할까?

용기

최고의 선은 쾌락이고, 최고의 악은 고통이라고 주장한다면

쾌락

고통

쾌락은 추구하고 고통은 피하는 것이 용기라고 여겨야 할 것이야.

이리 와!

쾌락

고통

그러나 고통을 두려워하고 피한다면 과연 용기라 할 수 있을까?

그건 모순이야.

오잉?

쾌락

고통과 맞서 싸워야 하는 용기가 고통을 피한다는 논리가 되니까.

우르르르......

이게 아닌 것 같은데....

용기

또 인내라는 덕은 어떻게 설명할 수 있을까?

다음 상황을 보자고!

다이어트!

다이어트!

먹고 싶다 ....

으악! 안 되지, 안 돼! 음식은 적!

이처럼 쾌락을 추구하려는 욕구는 참아야 한다고 우리는 상식적으로 알고 있지.

욕망은 쾌락의 친구이고 인내의 적이니까. 여기서도 모순이 생겨.

인내 ≠ 쾌락

물론 그들도 나름대로 설명을 해.

당신 아까부터 자꾸 우리 학파를 비난하는데 우리도 이렇게 주장하는 이유가 있다고!

흥! 어디 말해 봐, 그럼.

우선 지혜, 지혜는 쾌락을 제공하고 고통을 제거해 주지.

다음은 용기, 용기는 모든 상황에서 이런 목적을 위해 맞서는 것이고,

쾌락을 위해 살아간다!

인내는 악인 고통을 참아내는 것이야.

참아야 하느니라.

정의라는 덕과 관련해서도 쾌락을 설명해 보지.

정 의

정의는 형평의 덕이니까.

최대한 많은 이들에게 최대한 큰 쾌락을 주고

쾌 락

반대로 최대한 많은 이들에게 최대한 많은 고통을 제거하는 것이 정의가 되겠지?

고 통

여담이지만, 후에 이런 주장이 영국에서 공리주의*란 이름으로 나타났지.

공 리 주 의

물론 에피쿠로스 학파보다 훨씬 세련된 모습이지만.

푹

*공리주의 – 행위의 목적이나 선악 판단의 기준을 인간의 이익과 행복을 증진시키는 데에 두는 사상.

하여튼 키케로는 도덕적 선을 쾌락에 연결시키는 주장에 대해선 아주 단호해.

그래도 소용없어! 아닌 건 아닌 거야.

이런 연결을 결코 수용할 수 없을뿐더러 경멸하고 추방해야 한다는 것이 키케로의 생각이지.

휙

쾌락과 도덕적 선 사이에는 어떠한 연결 고리도 없으니까.

우린 남남이야.

키케로에 따르면 쾌락은 인생에서 양념과 같은 맛을 제공할 수 있다는 정도로 받아들일 수는 있지만

칙
칙

분명한 것은 쾌락에는 유익함이란 하나도 없다는 거야.

눈 씻고 찾아봐도 없군.

쾌 락

마지막으로 키케로는 그의 아들에게 이렇게 말해.

아들아....

앗, 이 목소리는 아버지?

내가 가르친 의무의 교훈들을 지금 배우고 있는 선생님의 강의록에 함께 끼워 다니면서 기쁜 마음으로 읽어라.

아버지로서 들려주는 좋은 마지막 훈계라고나 할까?

시간 낼 수 있는 한 읽고, 정성 들여 많이 읽도록!

네, 아버지.

의무론

키케로는 이 편지를 쓴 후 얼마 되지 않아 살해되었어.

그는 아들의 얼굴을 두 번 다시 못 보았고,

안녕… 아들아….

이 편지들은 아버지의 유언이 된 셈이지.

아버지!

《의무론》의 마지막을 키케로의 음성으로 들어 보자.

잘 있거라, 내 아들아.

내게는 네가

더할 나위 없이 소중하지만

이러한 나의 충고와 훈계를 깊이 새겨듣고 이를 실천한다면

나에게서 더 많은 사랑을 받게 되리라는 사실을 명심하기 바란다.

제11장 키케로가 설명하는 여러 가지
실례들 1

이제 《의무론》에 대해서
기본적인 공부를
다한 것 같아.

어때?

음… 어딘가
조금 부족한
듯한데요.

도덕적 선에
해당되는 예

도덕적 선과 유익
충돌에 해당되는

유익함에
해당되는 예

실제로
적용하는 예가
없어서인가?

그래?

좋았어! 여러 가지
실례들을 설명해
주지! 따라와!

도덕적 선과 유익함에 대해서는 거의
동의할 수 있을 거야.

대체로 상식에
속하는 것들이
니까.

그러나 도덕적 선과 유익함이 충돌하는 문제는 그리 간단하지 않아.

우리 문제가 그리 간단히 해결될 리 없잖아?

도덕적 선

유익함

사람마다 생각이나 선택이 다르니까 말이야.

난 1번.

난 2번.

그래서 키케로가 직접 사용하는 사례들을 적용하는 식으로 살펴보는 것이 도움이 될 거야.

자~ 한번 풀어 볼까나?

도덕적 선

유익함

여러분도 읽으면서 나라면 어떻게 할까 한번 생각해 봐.

우리 속담에 '수염이 석자라도 먹어야 양반'이라는 말이 있지?

배가 불러야 체면도 차리지….

'사흘 굶고 담 안 넘을 사람 없다.'는 말도 있고.

이러다가는 굶어 죽겠어. 남의 집 밥이라도 훔쳐 먹어야….

그렇지만 군자가 배고프다고 남의 집 담을 넘어가는 것이 옳은 것일까?

배고픈데 군자가 다 뭐야!

어떻게 생각해?

현자가 배고프고 기력이 약해졌다고 해서

비틀

비틀

힘없는 인간에게서 먹을 것을 빼앗을까?

이 질문에 대해 키케로는 분명히 말해.

현자라면 그렇게 하지 않을 것이오.

비록 자신이 죽을지언정 현자라면 그렇게 하지 않는다고 말이야.

군자된 도리로 그리할 수는 없지.

왜냐하면 남을 해치기보다는 굶어 죽는 것이 낫다고 생각하기 때문이지.

쿠엥

군자되기도 참 힘들군.

자신의 이익을 위해 남의 것까지 빼앗는다면

벼룩의 간을 빼먹긴….

이것은 자연법을 어기는 일이야.

자연법 위반!

쿠궁

자신의 불편함을 참는 것이 타인에게 피해를 주는 것보다 옳은 일이고 유익하니까.

와구 와구

참자….

그러나 이런 경우라면 어떨까?

아주 악한 폭군이 있다고 쳐.

전체 시민의 생명을 위해 그 폭군을 제거한다면? 이것은 나쁜 일일까?

와아아아!

키케로는 오히려 그를 살해하는 것은 도덕적 선이라고 말해.

이런 행동은 아마 자연에 반하는 것이 아닐 거야.

여러분은 어떻게 생각해?

끄~ 응~.

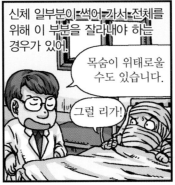

신체 일부분이 썩어 가서 전체를 위해 이 부분을 잘라내야 하는 경우가 있어.

목숨이 위태로울 수도 있습니다.

그럴 리가!

마찬가지로 짐승과 같은 야만적이고 비인간적인 사람은 공동체로부터 마땅히 격리되어야 한다는 말이야.

잘못했어~! 용서해 줘.

이미 늦었어.

의무론

친구 사이의 우정을 한번 생각해 볼까?

친구를 위해 옳은 것을 하지 않는 것도 도리가 아니지만,

친구야~ 딱 한 시간만 도와줘라. 내가 바빠서 그래.

안 돼! 나도 바쁘단 말이야.

옳지 않은 일을 하는 것은 더욱 도리가 아니겠지?

딱 한 번만 털고 손 떼자고!

만약, 국가의 이익을 거스르면서까지 친구를 위해 변호를 해야 한다면 어떻게 해야 할까?

안 돼!

도덕적으로 선한 사람이라면 국가와 공공의 이익을 저버리면서까지 친구를 변호하지는 않을 거야.

자수 하는 게 좋겠어.

흐윽!

왜냐하면 친구와의 정은 사적인 것이니까.

친구야~!

공적인 것이 사적인 것에 우선해야 하는 것은 의무에 속해.

먼저 간다!

사

공

그렇다고 친구를 외면할 수도 없고. 어떻게 행동하는 것이 최선일까?

이런 경우에는 법이 허용하는 범위 안에서만 친구를 도와야 해.

이 이상 넘어오지 마.

법

법을 어기면서까지 친구의 말을 다 들어준다면

내 친구는 거짓말을 하지 않는다고!

퍽

이것은 친구 관계가 아니라 공범 관계가 되어 버리지.

저 녀석도 한 패다! 같이 잡아 버려!

뭐?

키케로가 설명하는 여러 가지 실례들 1

피타고라스학파*에 다몬(Damon)과 핀티아스(Phintias)라는 사람이 있었는데 둘은 아주 친한 친구였어.

그런데 폭군 디오니시우스**가 핀티아스를 처형하려고 했어.

사형을 명하노라!

뭐… 뭐가?

**디오니시우스 Dionysius(?B.C.430~?B.C.367) – 시라쿠사의 참주.

사형선고를 받은 핀티아스는 자기 가족을 돌보기 위해 며칠만 시간을 달라 했고

며칠만 시간을….

좋다.

그 대신 그의 친구 다몬이 볼모로 잡혀 있게 되었어.

대신 이 자를 잡아 두겠다.

*피타고라스학파 – 기원전 5세기부터 기원전 4세기까지, 피타고라스와 그의 철학을 계승하여 활동했던 학파.

만약 그가 돌아오지 않는다면 다몬이 대신 처형되기로 약속하고 말이야.

내 걱정은 말고 다녀오게 핀티아스.

다몬….

그런데 약속한 날에 핀티아스가 돌아왔어.

사형수가 돌아왔다!

어서 다몬을 풀어 줘.

이것을 본 폭군은

도망칠 수 있을 텐데도 친구를 위해 돌아오다니.

자신을 그들의 세 번째 친구로 삼아 달라 했다는군. 바른 우정에 대한 좋은 사례지.

다몬!

핀티아스!

폭군도 생명을 아끼지 않는 참된 우정을 보고 감동한 거야.

둘 다 석방해 주도록 하여라!

우정에서도 유익함과 도덕적 선을 비교할 때에는

도덕적 선   유익함

도덕적으로 선한 것을 취해야겠지?

도덕적 선

우정에서 도덕적으로 옳지 못한 것이 요구될 때는 양심과 신의가 중시되어야 한다는 뜻이야.

옳은 믿음으로!

의무가 상충될 때는 도덕적으로 선한 것을 따라 판단하면 돼.

저기로 가면 되겠다!

도덕적 선

국가 간의 관계에서도 유익한 것보다 도덕적으로 선한 것을 택해야겠지.

최대한 평화적으로!

예!

자신의 민족에게 유익하다는 이유로 다른 민족에게 잔인하게 행해서는 안 돼.

아테네는 자국에게 위험이 되는 아이기나* 사람들의 엄지손가락을 다 잘랐다고 해.

이리 내!

*아이기나 Aegina - 그리스 아티카 반도와 펠로폰네소스 반도 사이에 도리아 인이 세운 도시 국가.

왜냐하면 아이기나가 해군력이 강해서

아테네에게 위험이 된다고 생각했기 때문이지.

저대로는 안 되겠어….

이런 행동은 잔인무도한 것이며 자연법, 즉 인간 본성에 반하는 행위야.

페르시아와의 전쟁에서 승리한 테미스토클레스*란 사람이

아테네 민회에 이렇게 말했어.

국가를 위한 묘책이 있으니 상의할 사람을 정해 주시오.

*테미스토클레스 Themistocles(?B.C.528~?B.C.462) – 고대 그리스 아테네의 정치가.

민회는 아리스티데스**를 지명했어.

테미스토클레스에게 가 보시오.

제가요?

테미스토클레스는 아리스티데스에게 바다에 있는 스파르타 함대에 불을 지르자고 했어.

그렇게 하면 스파르타는 현저하게 약해질 것이오.

**아리스티데스 Aristides(?B.C.530~?B.C.468) – 고대 그리스의 정치가, 군인.

그러나 아리스티데스는

음….

반대했어.

그 계획이 유익하기는 하지만 도덕적으로 선하지 않군요. 안 되겠네요.

아테네 민회는 아리스티데스의 주장에 따라 테미스토클레스의 계획을 부결시켰어!

부결!

탕!

쳇. 좋은 계획이었는데.

키케로는 이런 행위에서 볼 때 아테네가 로마보다 낫다고 말해.

내 나라 흉보기는 좀 그렇지만 인정할 건 인정해야지.

화끈!

왜냐하면 로마는 해적들에게는 면세권을 주면서 오히려 동맹국에게는 조세를 받고 있기 때문이었어.

해적에게 면세라니! 이게 말이나 됩니까?

쟤네들이 얼마나 무서운데.

의무론

기게스*의 이야기를 한번 해 볼까?

나 플라톤이 들려주는 이야기야.

기게스는 동굴에서 우연히 반지를 발견했어.

헉…!

그런데 이 반지는 자신을 안 보이게 만들 수 있는 힘이 있었어.

이… 이럴 수가!

*기게스 Gyges(?~B.C.648) – 서부 아나톨리아에 있던 리디아의 왕.

기게스는 이 반지를 이용해 왕을 살해하고

왕께서 암살당하셨다.

왕이 된 다음 자신에게 방해가 되는 모든 사람을 다 제거한다는 그런 이야기야.

누구도 내가 한 짓이라고 생각 못할걸!

키케로는 현자가 이 반지를 가졌다면 결코 그런 범죄를 저지를 생각조차 하지 않을 것이라고 말해.

왜냐하면 현자는 항상 도덕적 선만을 추구하니까.

유익함을 얻기 위해 도덕적 선을 희생할 것인가를 고민할 것이 아니라

좀만 참으면 월급이 나오니까… 힘내자.

반대로 어떡하면 유익함을 도덕적으로 악하지 않게 얻을 수 있는지에 대해서 깊이 생각해야 해.

어떻게 하면 좋을까?

유 익 함

들키지도 않고 형벌이 뒤따르지 않는다 해서

오호라~ 그렇다는 말이지.

딱

자기에게 유익한 것을 갖기 위해 뭐든지 할 수 있다는 생각은

준비 완료!

바른 사람의 도리가 아니야.

로마를 건설한 왕으로 알려진 로물루스*에 대해서 생각해 볼까?

로물루스는 그의 동생 레무스(Remus)와 함께 통치하는 것보다

형!

혼자서 나라를 지배하는 것이 좋다고 생각하고 동생을 죽여 버렸어.

이 길이 더 유익할 거야.

*로물루스 Romulus – 전설 상의 로마 건국자.

그리고 자기 행위를 정당화하기 위해 로마 주위에 성을 쌓는다고 하였지만

성을 쌓으면 적의 침입에도 끄떡없을 것이오! 날 믿으시오!

설득력이 없었지.

믿으라 해도….

여전히 동생을 죽인 죄인 아닐까?

죄를 범하고 유익하게 보이는 다른 행동으로 그 죄를 덮으려는 것은 소용없는 일이야.

손바닥으로 하늘 가리기요!

크윽!

그렇다고 자기에게 유익한 것을 꼭 포기할 필요야 없겠지?

끄응~.

남에게 해를 끼치지 않는다면 유익한 것을 누리는 것쯤은 허용될 수 있으니까.

예를 들면 경기장에서 달리기를 하는 사람은

다른 사람의 발을 걸거나 잡는 등의 반칙을 하지 않고 오직 자신의 승리를 위해 전력질주할 수 있어.

당연한 일 아냐?

인생에서도 원리는 같아.

법정에서 선서할 때 신을 자신의 증인으로 삼는데

신께 맹세합니다!

키케로는 이때에 신이란 곧 자신의 양심을 의미한다고 말해.

왜냐하면 신이 인간에 부여한 것 중에서 양심보다 더 성스러운 것은 없기 때문이야.

양심

자신의 양심에 따라 행동하되

양심

건전한 신의를 바탕으로 할 수 있는 바를 행하라는 원칙하에 행동하라는 거야.

신의

이런 원칙에 근거해서 재판관에게 소송을 제기하는 것은

이의 있소!

로마가 조상들에게서 물려받은 좋은 관습이라고 키케로는 말해.

그럼, 그럼!

유익함이 도덕적으로 선한 것과 상충되는 것처럼 보일 때가 종종 있기에

도덕적 선

유익함

실제로 유익한 도덕적 선과 상충되는 것인지

가짜는 아니겠지?

유익함

아니면 다른 방식으로 결합이 가능한지 신중하게 검토해야 할 거야.

다음 예를 한번 보도록 해.

곡물 부족으로 곡물 값이 폭등하여 굶주림에 빠지게 된 로도스* 섬이 있어.

＊로도스 Rhodes – 에게 해 남동쪽 끝에 있는 그리스령 섬.

어떤 사람이 이 섬을 향해 알렉산드리아에서 많은 곡물을 배에 싣고서 오는 중이야.

물론 그뿐만 아니라 다른 많은 사람들도 로도스를 향해 오고 있지.

그런데 그는 로도스의 사정을 알고 있었어.

저 섬은 곡물이 부족하여 곡물 값이 비싸다지!

이 사람은 로도스 섬 사람들에게 이 사실을 말해 주어야 할까?

곡물을 실은 배들이 들어오고 있어요!

아니면 시치미 뚝 떼고 자신의 곡물을 비싼 값에 팔아야 할까?

아쉬운 게 누군데 그래~?

여러분도 한번 생각해 봐. 어떻게 하는 것이 옳을까?

이에 대해서 키케로는 스토아학파의 철학자인 바빌로니아의 디오게네스**와, 그의 제자이며 예리한 판단력을 가진 안티파테르의 대화를 제시해.

＊＊디오게네스 Diogenes – 고대 그리스의 철학자.

안티파테르는 다음과 같이 주장했지.

구매자는 판매자가 파는 상품에 대한 모든 정보를 알아야 합니다.

반면 디오게네스는 이렇게 받아쳤지.

꼭 그럴 필요까지야! 시민법에서 규정하는 만큼만 해도 돼!

디오게네스의 경우는 속임수를 쓰지 않는 한

난 시가에 팔고 있는 거라고!

곡물을 최대한 비싼 가격에 팔아도 된다는 거야.

시가가 맞긴 하지만… 역시 비싸!

이익을 남기는 것이 장사고 법을 어기는 것은 아니니까.

밑지는 장사 봤수?

반면 안티파테르는, 사람은 공동체의 삶에 기여할 의무가 있으므로

세상은 혼자 사는 것이 아니야!

곡물이 지금 대량으로 오고 있다는 사실을 알려야 한다고 말해.

지금 곡물 배가 잔뜩 들어오고 있어요!

휴, 살았다!

자연 법칙에 따라 그 사회에 태어났으면

응애~

사회를 위해서 기여할 의무가 있다는 것이지.

사회를 위해서라면 기꺼이 두 팔 걷어붙이고 일하지!

즉 공동체의 이익은 나의 이익이고 나의 이익은 공동체의 이익이므로 그 사실을 알려야 한다는 거야.

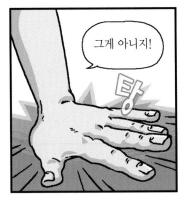

그게 아니지!

탕

숨기는 것과 침묵하는 것은 다른 문제야. 유익하다고 해서 무엇이든지 다 말해 줄 의무는 없다고.

물론 스승님 말씀도 일리가 있어요. 하지만,

하지만?

자연에 의해 맺어진 사회적 유대감에 따르면 말을 해야 하지 않을까요?

또박 또박

휴우… 잘 들어 봐. 사회는 개인의 사유재산이 허용된다고.

그렇기 때문에 자신의 이익을 추구할 수 있어.

말하지 않는 것이 꼭 도덕적으로 악한 것은 아냐.

그렇기 때문에 자신의 이익을 위해 침묵할 수도 있는 것이지.

저는 그렇게 생각하지 않습니다.

뭣이라….

말하는 것이 도덕적으로 옳습니다. 도덕적으로 옳은 행동을 해야죠.

여러분의 생각은 어때?

옥신   각신

저 둘은 내버려 두고… 우리 그만 다음 예를 보러 가자고.

의무론

어떤 사람이 집을 팔려고 해. 그런데 그 집에는 결점이 있었어.

건강에 좋지 않은 나쁜 환경에, 침실에는 뱀이 기어 다니고

나쁜 목재로 건축되어서 붕괴 위험도 있었지. 이런 사실은 오직 집주인만 알고 있었어.

집을 팔려는 집주인이 이 사실을 말하지 않고 팔았다면,

저 집, 내가 사도 되겠소?

예~, 물론이죠.

이것은 부정직하고 도덕적으로 옳지 못한 행동일까?

돈 벌었다~.

안티파테르는 당연히 잘못된 것이라고 말해.

아니 뭐 저런 경우가!

길을 잃은 사람에게 길을 가르쳐 주지 않는 것보다 더 악한 행동이라고 말하고 있어.

거기… 길 좀….

그에 반해 디오게네스는 문제 없다고 말해.

판매자는 그 집을 사라고 강요한 적도 없고, 구입자가 좋아서 샀으니 문제없지.

물건을 파는 사람은 그 물건이 가진 결점을 모조리 다 밝힐 의무가 없다는 게 디오게네스의 생각이지.

여긴 뱀이 나오고 어쩌고 저쩌고….

헉…

뱀이 기어 다니고 무너질 위험이 있고 건강에 좋지 않다고 광고하면서 집을 팔겠다는 것은 어리석은 일이니까.

썰렁~

유익함과 도덕적 선 사이에 생겨나는 문제에 대한 좋은 예가 아닐까?

한편에서는 도덕적 선이 옹호되고

결점을 다 말해!

다른 한편에서는 유익함이 강조되고, 또 너무 강조되어

안 그래도 돼!

자칫하면 오히려 도덕적으로 옳지 못하다고까지 말해질 수도 있어.

나보고 어쩌라는 거야~.

로도스의 곡물 상인과 이 집주인은 어떻게 행동해야 옳은 것일까?

말할까? 말까?

휙!

휙!

키케로는 침묵을 지키는 것은 옳지 않다고 말해.

솔직하게 말하세요.

숨기는 것은 아닐지라도

듣는 자에게 유익이 되는 것을 알면서도 자신의 이익을 위해 그것을 알리지 않는 것은

지-익

도덕적으로 옳지 못하다는 것이야.

동의할 수 있겠어요?

끄응~.

키케로는 이런 경우는 단순한 침묵이 아니라 사실상 숨기는 것이라고 말해.

좋은 집을 샀어!

그러게요.

휙

이런 행동을 하는 사람은 정직하지도, 순박하지도, 명예롭지도, 정의롭지도 않고, 선하지도 않은 사람이라는 것이지.

어디서 우릴 부르는 소리가 들리는데?

악

악

악

악

의무론

이렇게 침묵을 지키는 자가 비난을 받는데

그렇게 살지 마!

으윽!

거짓말하는 자는 더욱 비난을 받아야 하지 않겠어?

늑대가 나타났다~!

이 녀석들, 또 거짓말을!

로마의 기사인 가이우스 카니우스 라는 사람이 있었어.

그는 휴가차 시라쿠사로 갔는데

이야~, 여전히 경치 한번 끝내 주네.

그곳에서 정원 딸린 조그만 별장 하나를 구해서 친구들을 초대하고 싶었어.

그런 생각을 주위에 말하고 다니기도 했고 말이야.

어떤가? 내 생각이 좋지 않은가!

괜찮군그래!

때마침 시라쿠사에는 은행을 경영하는 피티우스란 사람이 자신의 별장으로 카니우스를 초대했고

어떻소!

오… 꽤 좋은 곳이군요.

카니우스에게 이렇게 말했지.

이 별장을 팔 생각은 없지만, 원하신다면 마음대로 사용하셔도 좋습니다.

그리고 피티우스는 자기에게 돈을 빚진 사람들과 어부들을 불러 모아서

음… 이만하면 되겠군.

카니우스가 오는 날 별장에 배를 띄워서 별장에서 고기를 잡도록 부탁했지.

별장에서 낚시를 하고 있으란 말이오.

카니우스는 약속에 따라서 만찬에 참석했고

오호!

배들이 떠 있고 물고기를 잡는 그 광경을 너무 좋아했어.

굉장해!

카니우스는 피티우스에게 그 별장을 사겠다고 말했어.

어떻게 좀…
안 되겠소?

으음…
곤란한데요~

별장에 욕심이 있던 그는 피티우스가 요구하는 가격을 지급하고

할 수 없죠.
그렇게 원하신다
면… 이 가격에
팔지요.

별장과 배, 그리고 여러 장비들을 구입했지.

영수증

별장구입
낚시대

쾅!

그리고 생각한 대로 친구들을 별장으로 초대했지.

그런데 이게 무슨 일일까?

뭐, 뭐야!

그렇게 많던 배는 한 척도 없고, 어부 한 명도 보이지 않았어.

그래서 그는 이웃 사람에게 물었지.

전에는 있었는데
왜 지금은 아무도 고기를
잡지 않습니까?

예?

그러나 이웃 사람들도 별장에서 있었던 일에 대해서는 영문을 알 수 없다고 했어.

글쎄올시다….
귀신의 짓도 아니고
하룻밤 새
없어지다니!

큭!

그때서야 카니우스는 속았다는 것을 깨알았어.

아차! 당했구나!

헉

그렇지만 달리 어쩔 도리가 없었지. 피티우스의 교활함에 속은 것이니까.

크크크….

피티우스와 같은 사람은 선심 쓰는 척하면서

싸게 팔 테니 쓰세요!

우와!

실제 행동은 그렇지 않지.

뭐야! 망가진 거잖아!

그런 사람을 키케로는 이렇게 부르지.

신의 없는 철면피! 부정직하고 사악한 못된 놈!

철면피

부정직

허위를 사실처럼 만들어 진실을 은폐하는 자들은 모든 생활에서 없어져야겠지?

선한 사람은 더욱 유리한 조건으로 물건을 사고 팔기 위해 허위를 사실처럼 꾸미는 행위나 진실을 덮어 버리는 죄를 범하지 않을 거야.

로마법에서는 이러한 행위들에 대해서는 '선한 신의에 입각해서'라는 말을 첨가해서 판단한다고 해.

선한 신의에 입각해 볼 때 이는 유죄이다!

헉!

사건의 성질에 따라서 로마법에서는 이런 말들이 존재한다고 해.

더 낫게 더 공정하게

선한 사람들 간의 관계처럼 선하게 행동하라.

이래서 우리가 로마를 법의 국가라고 말하는 것이야.

부동산 거래에서 로마법은

판매하는 부동산의 하자를 판매자가 알고 있다면

숨기지 말고 다 말해야 한다고 규정되어 있어.

숨기면 어떻게 되는지 알고 있겠지?

네… 넷!

12표법*에 따르면

로마 최초의 법이지.

일일이 거명된 하자들은 모두 변상되어야 하고

뜨악!

하자가 없다고 거래가 이루어졌지만 뒤에 하자가 발견되면

천장에서 물이 새잖아요!

*12표법 – 가장 오래된 로마의 성문법.

두 배의 벌금을 지급해야 했어.

심지어 하자를 숨기기 위해서 침묵한 것에 대한 벌금도 물어야 하는 것으로 규정되어 있지.

그러므로 파는 자는 물건의 하자에 대해서 말해야 할 의무가 있는 것이지.

완벽하지가 않으니 참고하며 고르세요.

아… 그렇군요.

선한 신의에 입각해서 판단하는 것이니까.

법에 다 기록되어 있지 않더라도 선한 신의에 입각해서 행동해야 한다는 것이야.

판매자가 알고 있는 거래 상품의 결점들을
구입자에게 알려 주는 것이 선한 신의에
입각해서 적합하다는 원칙이 수립된 것이지.

그러므로 앞에서 살펴본 예인 곡물과 건강에
나쁜 집에 대해서 다시 생각해 보면

곡물 장수나 집주인이 침묵한 것은 도덕적으로 옳지 못한
것이라 말할 수 있어.

그럴 수도 있지
….

화끈—!

사실 이와 비슷한 사건들이
여러 가지로 발생하지만

공중도덕이 타락하고,

관습적으로나 도덕적으로 옳지 않다고
생각되지도 않고,

그게 왜
나쁜 일인데?

맞아.

또 법에도 아직 마땅한 규정이 없어
처벌되지도 않는 경우가 많이 있어.

그럴 수도
있는 거지.

오늘날처럼 빨리 변하는
세상에서는 더욱 그렇지.

바쁘다,
바빠!

그러나 이 모든 것은 자연법에
의해서는 제약을 받아.

일단 정지!

공동체 사회의 동료들을 속이고 그 유대를
파괴하는 것은

도덕적으로 선하지도 않을뿐더러 유익하지도 않다고
자연법은 정하고 있으니까.

거기!

자연법

이런 원리하에
로마의 시민법이나
만민법이 제정
되었던 것이지.

만민법

참된 법과 진정한 정의가 반드시
실현되어야 하는 이유도

'법'과
정의

결국 자연이 선사한 본성에 기초한
것이지.

본심

그렇다면 선한 사람은
어떤 사람이며, 정직한 거래는
어떤 것일까?

예…? 갑자기
그런 질문은 왜요?

선한 사람들 사이에 거래가 정직하게 이루어져야 하기
때문에 하는 질문이야.

이 질문에 대한 답은…

정답은…

즈! 퀴즈!

오, 예!

자연법에 따라
신의에 기초한
시민 의식입니다!
축하합니다!

사회 생활에 기초하는 모든 행위들이
여기에 관련되어 있다고 말할 수 있지.

신의에 기초한
시민의식

신의와 신뢰를 파괴하는 교활한 속임수와 행동은 추방되어야 해.

이 사기꾼 녀석!

그래야 선한 신의가 생기고

정직한 거래가 이루어질 것이니까.

무신불립, 즉 믿지 못하면 제대로 설 수 없다는 것이지.

당신, 뭐를 믿고 물건을 사!

나도 너 못 믿겠거든!

법의 원천은 자연에서 나오기 때문에

법

누구든지 타인의 무지를 이용해 자신의 이익을 취하는 행동을 해선 안 된다는 것이 자연에 합치하는 것이야.

거기!

지혜와 지성을 가장해서 속임수를 쓴다든지

이게 바로 명문대 졸업생이 집필한 책이죠!

오….

도덕적 선이 유익함과 서로 상충되는 것처럼 교활한 행동을 하지 않도록 해야 돼.

궤변을 늘어 놓는 것은 유익하지 않아.

불의를 제대로 처벌하지 않고 잘못이 은폐된다면

쉿

점점 대담하게 악을 행하는 사람들이 생길 거야.

대낮에 하는 도둑질도 스릴 있군!

ㅋㅋ

앞에서 말한 것처럼 불의를 거절하거나 막을 수 있는데

그렇게 하지 않는 것도 잘못된 행동이라는 것을 다시금 기억해야 할 거야.

자! 이제 마지막 장으로 가 보자고!

제12장

키케로가 설명하는 여러 가지 실례들 2

도덕적 선과 유익함을 분리해서 생각하는 것은 잘못이야.

도덕적 선과 유익함의 기준은 같아야 하니까.

기준은 하나!

선한 사람이란, 도울 수 있는 한 최대한 다른 사람을 도와 이익을 주고

남이 불의를 도발하지 않는 이상

꺄악!

결코 아무에게도 해를 끼치지 않는 그런 사람이야.

하늘을 우러러 한 점 부끄럼 없는 사람이라고나 할까?

의무론

불의나 부정한 것은 결코 유익하지 않다는 사실도 기억해야 해.

저리 가!

악

그래서 《성경》은 악한 것은 그 모양이라도 버리라고 말해.

악한 것 근처에도 가지 마!

네!

로마 농부들의 속담 중에 어떤 사람의 신의와 착실함을 칭찬할 때

오~!

이렇게 말한다고 해.

저 사람과는 어둠 속에서 손가락 수를 맞히는 놀이를 할 만하겠어.

이것이 주는 교훈, 선한 사람은 나쁜 짓이나 속임수를 해도 모르고, 아무도 지적하지 않을 때에도

남의 재산을 가로채는 등의 행동을 하지 않는다는 거야.

바보들!

데코룸하지 않은 것은 유익하지도 않지.

내 안에 데코룸 있다~.

유익함

하하하….

이 속담의 교훈을 기게스의 이야기와 비교해서 생각하면 좋을 것 같아.

난 천하무적이다. 크크크….

선한 사람이라는 명성을 포기하고 얻어야 할 만큼 이롭고 추구할 만한 가치가 존재할까?

?

겉모습이 야수인 사람과 내면이 야수인 사람의 차이점은?

유익하다고 생각됐던 것이 만약 선함의 명성과 정의로움과 신의를 빼앗아간다면,

아얏!

정의 선의 명성

그 유익함이 실제로 가져다줄 그 '유익함'이란 무엇일까?

정말 멋진 질문이라 생각하지 않아?

세상 사람들의 생각에 임금이 되는 것만큼 더 유익한 것은 없을 거야.

왜냐고?

왕은 모든 권력을 갖고 있잖아.

그 권력으로 모든 욕망도 이룰 수 있고.

그러나 불의와 부정으로 왕이 된 자에게는 그것보다 더 무익한 것은 없다고 키케로는 말해.

크크   크크크

불의를 행하는 데 정신을 못 차리는 자가

술! 술 더 가져와!

억압받는 시민들의 국부*라 한들 무슨 유익이 있겠어?

저런 사람이 왕이니 나라가 이 꼴이지.

*국부 – 나라의 아버지란 뜻으로 임금을 이르는 말.

계속되는 번민과 불안과 공포와 위험으로 가득한 생활일 뿐이지.

유익함은 도덕적 선을 기준으로 삼아야 해.

그래야 정당하고 당당하니까.

도덕적 선

유익함   유익함

도덕적 선과 유익함은 두 단어지만 하나를 뜻한다고 말할 수 있어.

도덕적 선   유익함

명예를 위해서 권력을 잡으려는 사람은

권력

그 명예 안에 도덕적으로 선하지 않은 것이 없어야 해.

왕이 되면 뭐든 내 맘대로 할 수 있겠지?

찌릿

도덕적으로 선하지 않은 방법으로 자기 이익을 추구한다면 그것은 결코 명예롭지 못한 것이야.

도덕적 선

의무론

로마인 파브리키우스*는 피루스와 전쟁을 했어. 피루스 왕이 먼저 로마에 대해 전쟁을 도발했기 때문이지.

로마 바보, 멍충이!

메 ─ 롱

죽었어!

그런데 피루스 왕에게서 도망 온 한 탈주병이

제 애길 들어 주십시오.

뭐냐?

파브리키우스에게 제안을 했지.

저에게 보상만 해 준다면 피루스 진영에 몰래 들어가서 피루스를 독약으로 살해하겠습니다.

그러나 파브리키우스는 그자를 피루스 왕에게 돌려 보냈고

됐으니 돌아 가시오!

원로원은 그런 행동을 칭찬했어.

참으로 훌륭한 분이야!

맞아!

*파브리키우스 Fabricius – 고대 로마 공화정의 집정관.

명예를 걸고 하는 전쟁에서

상대방을 덕이 아니라 죄악으로 제압한다는 것은 결코 데코룸하지 않기 때문이지.

이제 데코룸이 대충 어떤 것인지 감이 오지?

말로는 설명할 수 없지만 느낄 수 있어요!

약속도 약속한 당사자에게 유익하지 않다면 안 지켜도 되는 경우가 있어.

키케로는 우리가 잘 아는 《그리스 신화》에 나오는 파에톤(Phaëthon)에 대한 이야기를 예로 들어.

파에톤이 누구냐 하면

바로 나 태양신 아폴론의 아들이지.

아버지!

아폴론은 아들에게 원하는 것은 무엇이든지 다 들어주겠다고 약속을 했어.

정말요?

다 들어주마!

아버지의 불마차를 한번 타보고 싶어요!

뭐?

아폴론은 결국 허락을 하고 약속을 지켰어. 하지만,

조심해야 한다!

걱정 마세요!

파에톤은 불마차를 타다가 그것을 세우지 못하고 벼락을 맞아 죽었어.

빠직

차라리 약속을 지키지 않는 것이 더 좋았을 것이라고 키케로는 말해.

파에톤!

또 그리스의 왕 아가멤논*은 이런 약속을 했어.

모두들 들으시오!

올해 태어난 가장 예쁜 아이를 달의 신 아르테미스에게 바칠 것이니 그렇게들 아시오!

뭐?

그런데 이게 웬일!

자, 누가 제일 예쁜 아이인지 말해 보시오!

에…그게.

*아가멤논 Agamemnon – 그리스 신화에 나오는 미케네의 왕.

가장 예쁜 딸은 바로 자신의 딸이었어.

바로 이피게니 공주님입니다.

뭐라?

그래서 자신의 딸을 제물로 바쳤다고 해.

아버지….

이 못난 아비를 용서해 다오!

키케로는 그런 추악한 죄를 범할 바엔 오히려 약속을 지키지 않는 편이 낫다고 말해.

크흑….

의무론

어떤 사람이 정신이 온전할 때 총을 빌려 주었는데

조심해서 쓰시오!

고맙소! 잘 쓰고 돌려 드리리다.

정신이 미친 상태에서 그 총을 다시 돌려 달라고 한다면

거기 서! 빌려 간 총 지금 내놔! 당장!

헉!

돌려주어야 할까 아니면 돌려주지 말아야 할까?

빌린 건 맞지만 지금 돌려주면 저 사람 무슨 짓을 저지를지 몰라….

키케로는 이때 돌려주는 것은 잘못을 범하는 것이고

여기….

탁

돌려주지 않는 것이 의무라고 말해. 여러분도 그렇게 생각해?

나… 나중에 돌려 드릴게요!

또 너에게 돈을 빌려 준 사람이

꼭 갚아야 해요!

네! 물론이죠! 고마워요.

조국에 반역하고 전쟁을 일으켰다면, 그 돈을 다시 그에게 돌려줄 거야?

저 사람은…

거기 서라, 반역자!

아마도 돌려주지 않겠지?

저렇게 됐으니 돈은 못 돌려 주네….

도덕적으로 선하게 여겨지는 것들이 이와 같이 때에 따라서 도덕적으로 선하지 않은 것으로 변하기도 해.

변신!

도덕적 선

악

이런 성질 때문에

의무의 수행이 간단하지 않은 경우가 발생하는 거야.

의무 의무 의무 의무 의무 의무 의무

키케로의 친척인 그라티디아누스는 로마에서 유통되는 화폐의 가치 척도를 마련하려고 호민관 동료들을 초청했어.

화폐 가치가 불안정하여 자신의 재산이 어느 정도 되는지 알 수 없는 상태였으니까.

이 정도 돈이면 가치가 어느 정도입니까?

글쎄요….

그라티디아누스와 그의 동료들은 함께 포고 문안을 작성하고

그 포고령을 위반한 경우에 따르는 벌칙과 재판 절차까지 다 마련했어. 어떻습니까?

오~ 좋군요!

그리고 함께 포럼의 연단에서 공동으로 발표하기로 약속했어.

분명 큰 파장을 일으킬 거야!

영광의 순간을 함께 하자고!

그리고 각자 자기 일을 보러 나갔는데, 그 사이에 그라티디아누스는 약속을 어기고

살금…

혼자 강단으로 가서 그것을 발표했지. 이 일로 그는 큰 영예를 누렸어.

앗! 저것은!

저 배신자!

그보다 더 큰 대중적 인기를 누린 자가 없을 정도였다고 해.

저기 봐! 그라티디아누스야!

이 경우는 신의를 깨뜨리고 형평의 원칙을 무시한 것이야.

그라티디아누스… 네 이놈….

그리고 엄청난 죄를 범한 것도 아닌데 따라오는 이익이 아주 큰 편이지.

하하핫!

영예

이런 경우는 어떻게 하는 것이 좋을까?

하 하 하

사실 이 경우는 도덕적으로 크게 나쁜 것 같지는 않지만

같이 발표하나 혼자 발표하나 그게 그거 아닌가?

아니거든….

그 때문에 얻어지는 유익은 아주 크게 보였잖아?

분하다!

영예

욕심이 있는 사람이라면

끄응….

갈등을 일으킬 만하지.

뭐 어때~ 저질러 버려!

그러나 우리는 이런 사람을 선하다고 말할 수 있을까?

뻔 뻔….

이익을 얻기 위해서 사실을 숨기거나 거짓말을 하거나

남을 비방하거나 약속을 어기거나

우! 우!

약속 좀 지키시지?

남의 비밀을 누설하거나 하는 행위가 선한 사람이 하는 행위로 인정될 수 있을까?

글쎄 저 녀석이 말이야….

결코 그렇지 않아!

사실

유익함은 결코 도덕적으로 나쁘지 않고, 도덕적으로 나쁜 것은 결코 유익할 수 없다는 사실을 반드시 기억해야 해.

아얏!

키케로가 던지는 몇 가지 질문을 옮겨 볼까?

만일 배가 풍랑을 만나 짐을 바다에 던져야 한다면 비싼 말을 던지겠는가 아니면 값싼 노예를 던지겠는가?

어떻게 하지?

아버지가 신전을 약탈하고 국고로 통하는 지하 통로를 파고 있다면, 아들은 이 사실을 정무관들에게 보고해야 하는가?

아버지…!

만약 현명한 사람이 부정한 돈인 줄 모르고 그 돈을 순수하게 받았다가 뒤에 알았다면, 자신의 빚 갚는 데 그 돈을 사용하겠는가?

설마 공금이었을 줄이야….

어떤 사람이 황금을 팔면서 황동을 팔고 있다고 생각한 다면, 선한 사람이라면 그에게 그것이 황동이 아니라 황금이라고 말해 주어야 하지 않겠는가?

저기요… 그거 황동이 아니라 황금 같은데요.

헉! 정말입니까?

황동 팝니다

어떤 의원이 중환자에게 약을 주면서 이렇게 말했어.

이 약을 먹고 낫게 되면 절대로 이 약을 다시는 복용하지 않겠다고 약속하세요.

약속한 환자는 약을 받아서 먹고 병에서 나았지.

완쾌!

그런데 뒤에 다시 그 병에 걸렸어.

이… 이럴 수가.

그러면 그 환자는 그 약속을 지키기 위해 그 약을 먹지 말아야 할까?

그리고 그 의원은 약속에 따라서 다시는 그 약을 주지 말아야 할까?

어떤 처방을 내려야 하지….

아니면 환자는 약속을 깨고 그 약을 먹어야 할까?

먹어도 되지 않을까요…?

그럴까?

의무론

레굴루스라는 사람이

크….

아프리카에서 카르타고*의 장군인 한니발**의 아버지 하밀카르의 수하인 라케다이모니아 사람인 크산팁푸스 장군의 계략에 빠져 포로가 되었어.

＊카르타고 Carthago - 고대 페니키아인이 북아프리카의 튀니지에 세운 식민 도시.
＊＊한니발 Hannibal(B.C.247~?B.C.183)

카르타고는 그를 로마의 원로원에 돌려보내며 이렇게 말했어.

원로원에 전하라! 너를 보내는 대신 로마에 잡혀 있는 카르타고의 장군을 송환하라고!

만약 교섭이 실패하면 넌 다시 이곳으로 돌아와야 한다. 맹세해!

칫….

그렇게 레굴루스는 로마로 돌아갔어.

터덜

터덜

로마

처음에 그는 이렇게 생각했어.

로마에 가면 모든 걸 전쟁탓으로 돌리고 처자식과 함께 집에서 사는 게 유익해.

그러나 다시금 마음을 다잡고 자신의 임무가 무엇인지 원로원에 설명했지.

레굴루스가 돌아왔다!

그리고 이렇게 말했어.

저는 지금 적의 포로이기 때문에 더 이상 원로원의 몸이 아닙니다.

레굴루스….

로마에 있는 포로들은 젊은 장수들인 데 비해 전 이미 늙고 병든 몸입니다. 포로들을 돌려보내는 건 유익하지 않습니다.

그리고 레굴루스는 맹세한 대로 카르타고로 돌아갔지.

그럼, 안녕히!

레굴루스!

가장 잔인한 적의 가장 잔혹한 벌을 받으러 출발한 것이야.

카르타고

조국애와 가족들의 사랑도 그를 말리지 못했어.

여보~!

그는 맹세한 것은 반드시 지켜야 한다고 생각했거든.

흐으윽...

과연 그의 행위는 유익하지 않은 것일까? 여러분은 어떻게 생각해?

흐윽... 너무 슬퍼요.

감동도 좋지만 생각도 해 보렴.

그는 어리석은 사람일까? 그 사람은 자기에게 유익한 것을 판단하지 못한 것일까?

사람이라면 누구든지 자신에게 유익한 것을 추구해.

레굴루스도 예외는 아닐 거야.

누구든 자기에게 유익한 것을 얻으려고 최선을 다하지 않겠어?

유익

레굴루스는 도덕적 선만이 유익하다고 생각했기 때문에 오직 도덕적 선만을 추구한 거야.

도덕적 선

적과의 신의를 저버리고 로마에 남는 것은

카르타고에 돌아가서 고문을 당하는 것에 비하면 아무것도 아니지.

찰싹

폭력에 의해 강제한 맹세는 구속력을 갖기 어렵다고들 하잖아.

철컥

그러나 그는 자신의 맹세를 지키고 처형될 것을 알면서 카르타고로 돌아간 거야.

교섭은 결렬됐소! 자, 이제 날 죽이시오!

맹세는 엄숙한 약속이므로 신성하게 지켜야 해.

맹세를 어기는 것은 신의를 저버리는 것이니까.

레굴루스는 가장 뛰어난 로마인 중 하나라고 말해.

자신의 도덕적 의무에 충실하기 위해 자진해 고문을 당했잖아.

어떤 사람은 파멸보다는 도덕적인 악을 택하는 것이 낫다고 말할지도 몰라.

으악!

악

파멸

그러나 도덕적으로 악한 것보다 더 큰 파멸이 어디 있겠어?

헉… 어느새…

파멸 파멸 파멸

사실 스토아 철학자들은 고통은 최고악도 아니며 심지어는 아예 악으로 생각하지도 않았어.

도덕적으로 선하지 않다는 비난보다 더 큰 고통은 없다는 말이지.

스토아

그래서 레굴루스의 행위는 위대하게 평가되는 것이야.

두 등

게다가 레굴루스는 자신의 판단에 따라서 고집을 부리려 하지 않고

자네 꼭 이렇게 해야 하나? 목숨이 달린 문제라고!

전 괜찮습니다.

원로원으로 하여금 포로 송환의 문제에 대해 판단하도록 하였다는 것은 그의 행위 중 가장 고귀한 부분이라 말할 수 있어.

그저 의원들께서 옳은 판단을 내려 주시길 바랄 뿐입니다.

혹시나 포로들이 카르타고에 양도되고

만세! 해방이다!

카르타고

자신이 편안함을 누리게 될까 봐 원로원에다 판단을 의뢰한 것이지.

그렇게 되게 할 순 없지.

그는 이것이 조국에 유익하다고 생각했어.

로마

자신의 생각을 소신 있게 밝히고, 포로를 보내지 않고

포로들을 보내서는 안 됩니다.

자신이 카르타고로 돌아가 고통을 당하는 것이 도덕적으로 옳은 일이라고 그는 굳게 믿었던 거야.

로마를 위해서 이 한 몸 기꺼이 바치리!

또 다른 예를 하나 볼까? 칸나이 전투* 뒤에 한니발은

카르타고 포로들의 몸값을 지급하고 송환하는 문제를 의논하기 위해

가서 로마인 열 명을 소집하거라.

네!

로마인 열 명을 로마의 원로원으로 보내기로 했어.

데리고 왔습니다.

*칸나이전투(B.C. 216) - 제2차 포에니 전쟁 중의 하나.

그리고 이들과 이런 맹세를 했지.

만약에 포로 송환 문제가 해결되지 않으면 다시 카르타고로 돌아오도록!

그렇게 그들은 로마의 원로원으로 향했고

원로원에 한니발의 제안을 전했지.

저희를 풀어주는 대신 카르타고의 포로를 내달랍니다.

그러나 이 협상은 결국 성사되지 못했고, 그들은 다시 카르타고로 돌아가야 했지.

그건 곤란하오… 그대들에겐 미안하게 됐소.

그런데 열 명 중 아홉 명은 다시 돌아갔는데 한 명은 가지 않고 로마에 남았어.

꾹

꾹

의무론

이유는 이랬어.

전 처음 진영을 떠난 뒤에 잊은 물건이 있어 카르타고 진영으로 돌아갔다가 다시 출발했습니다.

전 이미 카르타고로 돌아갔던 셈이죠. 그러니 이전에 한 맹세는 저에게는 해당이 안 되죠.

원로원은 이 교활한 사람을 한니발에게 돌려보내라고 명령했어.

이 자를 다시 돌려보내라!

비겁하고 천하고 타락하고 교활하고 잘못된 정신 상태에서 행해진 행위들은

난 이제 죽었다.

카르타고

도덕적으로 추악하며 결코 유익하지 않은 것이 분명해.

처음부터 잘할걸.

후회한들 이미 엎지른 물이지.

도덕적으로 선한 것만이 유익하고 유익한 것은 도덕적으로 선하기 때문에

우리는 하나!

도덕적 선   유익함

도덕적 선과 유익함에서 나오는 《의무론》은

의무론

도덕적 선   유익함

자연법의 바탕에서 요구되는 사람의 도리나 인륜과도 같은 것이야.

이상으로 《의무론》을 마칠까 해.

짝 짝

좀 더 배우고 싶으면 키케로의 《의무론》을 직접 읽어 보는 것도 좋은 방법이겠지?

그럼 여러분, 안녕~!

안녕!

《의무론》깊이 읽기

옥타비아누스

옥타비아누스(BC63~AD14)는 안토니우스(BC 82?~BC 30)와 함께 2차 삼두정치의 대표적인 인물로서 로마 제국 최초의 황제이자 가장 위대한 황제인 '아우구스투스'를 말합니다. 그는 기원전 27년부터 서기 14년까지 로마를 통치했으며 《성경》에서 말하는 예수의 탄생도 그의 통치 시대에 있던 일이었어요. 그는 로마의 질서와 번영을 위해 권력을 사정없이 휘둘렀는데, 그의 통치를 우리는 소위 로마의 평화를 의미하는 '팍스 로마나(Pax Romana)'라고 부릅니다. 이 팍스 로마나에서 오늘날 군사력에 기초한 미국의 국제질서 확립을 일컫는 '팍스 아메리카나(Pax Americana)'라는 말이 나오게 됐어요.

옥타비아누스가 태어났을 때는 '가이우스 옥타비아누스'였다가, 후에 시저(로마공화정 말기의 정치가, BC 100~BC 44)의 양자로 입양되어 '시저 옥타비아누스'라고 불렸습니다. 시저가 암살된 후 옥타비아누스는 안토니우스와 레피두스 장군(?~BC 13)과 더불어 권력의 연대를 형성했는데, 이것은 흔히 말하는 '2차 삼두정치'를 말합니다. 그들은 수년간 함께 적들을 제거해 나갔어요. 그 후 안토니우스는 이집트의 클레오파트라(BC 69~BC 30)와 연대해서 정치적

▲ 옥타비아누스

세력을 이루었는데, 옥타비아누스는 안토니우스와 클레
오파트라의 연합군을 악티움 전쟁(BC 31)에서 무찌르고
로마의 절대강자가 되었습니다. 기원전 27년 그의 양자
이름인 '시저'에 '아우구스투스'('존엄자'라는 뜻으로
BC27년에 원로원으로부터 칭호를 받았음)라는 이름이
더해져서 '시저 아우구스투스', 즉 흔히 말하는 아우구
스투스 대제가 됩니다.

▲ 안토니우스

옥타비아누스는 키는 좀 작았지만 훌륭한 균형미와
맑고 밝게 빛나는 눈, 탁월한 미모를 가진 것으로 알려
졌고 동시에 뛰어난 정치적 능력을 소유한 사람이었습니다. 성격은 온화하고 치밀
해 로마 제국의 모든 분야에 깊은 관심을 보였답니다. 먼저 그는 로마의 영토를 확
장하고 국경에 수비대를 배치하며 보병의 규모를 줄이면서 해군에 함대를 만들었
습니다. 공공의 삶에도 깊은 관심을 가져서 수로를 정비하고 공공건물, 특히 많은
사원을 건립했으며 극장도 지었습니다. 이는 종교적 헌신과 로마의 오랜 전통을 다
시 복원하려는 의도에서 이루어진 것입니다. 그는 시민들의 도덕성 함양을 위해 간
음을 불법으로 정하고 결혼과 출산을 지원했습니다. 그리고 《성경》의 〈누가복음〉
에서 알려진 인구조사를 하여 로마의 세제를 확립했습니다. 문학을 크게 장려하여
그의 통치 시대는 로마 문학의 황금기라고 불릴 정도였답니다. 여러 가지 질병에
시달리던 옥타비아누스는 서기 14년에 생을 마쳤습니다.

스토아학파

스토아학파는 기원전 3세기 정도에 그리스 아테네에서 발전해 기원전 2세기에 걸쳐 로마 및 소아시아 지역에서 크게 성행했던 철학 및 정치사상입니다. '스토아(stoa)'는 고대 그리스의 공공건축으로서 앞은 기둥으로, 뒤는 벽으로 둘러싼 형태를 말해요. 제논이 스토아에서 주로 가르친 데서 '스토아학파'라는 말이 유래했습니다. 스토아철학은 그리스 도시국가를 넘어서 지중해 지역으로 확산된 헬레니즘을 대표하는 사상이에요. 그리스에서 시작한 이 스토아철학은 파나이티오스(BC 180?~BC 109?)에 의해서 로마 사람들이 받아들일 수 있는 형태로 만들어졌어요. 키케로는 파나이티오스의 책을 재조명하여 스토아사상에 따라서 《의무론》을 저술했습니다. 그 외 네로의 스승이었던 세네카(BC 4?~AD 65)와 로마황제인 마르쿠스 아우렐리우스(121~180) 등이 유명한 스토아학자에 속해요.

▲ 파나이티오스

스토아 사상은 논리와 윤리, 물리적 세계인 자연을 하나로 결합합니다. 소크라테스적인 윤리적 덕성과 헤라클레이토스

의 우주론, 아리스토텔레스의 논리학이 스토아 사상
에 결합된 것이죠. 스토아 사상에서 논리, 물리적 자
연 그리고 윤리학은 가장 중요한 3요소입니다. 스토
아 사상은 자연을 유기적 통일체로 인식하며 신까지
포함합니다. 이 모든 것은 물질에 근거한 유물론적이
고 일원론적이며 결정론적입니다. 물질의 생성과 회
귀 및 그 과정의 반복은 하나의 질서로 정해진 과정
이며 이것을 우리는 흔히 말하는 '섭리'나 '운명'이
라고 부릅니다.

▲ 스토아를 지나고 있는 유럽 지하철

　스토아 철학은 경험적입니다. 논리와 진리, 삶과 윤리, 운명과 자연이 스토아 사
상에서 연합되죠. 진리는 오류와 구별되며 지식은 이성에 의해서 얻어집니다. 진리
를 구별하고 지식을 얻어서 삶에 바르게 적용하는 것이 윤리이며 지혜입니다. 그래
서 스토아 철학의 지혜는 자연을 바르게 관찰하고 정확한 지식을 얻어서, 운명을
바르게 이해하고 운명에 따라 자연 질서에 순
응해서 살아가는 원리를 의미합니다. 그래서
스토아의 지혜는 관조적인 지혜가 아니라 실
천적입니다. 이러한 실천적 지혜가 종교와 예
술보다는 정치와 법률에서 두각을 나타낸 로
마의 윤리적 정신에 잘 부응했을 거라고 생각
할 수 있습니다.

　스토아 사상은 금욕적이어서 감정의 쾌락을
단호히 거절했습니다. 이 점에서 쾌락을 삶의

▲ 세네카의 죽음을 그린 작품

▲ 아우렐리우스

목적으로 삼았던 에피쿠로스학파와 날카롭게 대립하죠. 스토아학파가 가르치는 지혜의 삶은 자연 질서에 순응하는 삶이기에 숙명론적입니다. 왜냐하면 전 우주는 운명이라는 질서에 의해서 운행되고 있기 때문입니다. 또 스토아 사상은 이성을 최고 목적으로 삼고 의무를 강조합니다. 이성은 자연의 정신이며 우주의 혼이며 자연에 내재하는 신입니다. 그러므로 이성의 가르침에 따라 사는 것이야 말로 필연적으로 지혜가 됩니다. 엄숙하고 고요한 정신에 머물면서 고상한 도덕적 가치를 추구하며, 운명이 인도해주는 자연의 질서에 순응해서 절제와 인내로써 금욕적으로 살아가는 것이야말로 스토아 사상이 추구하는 참된 지혜의 삶일 것입니다.

▲ 플로티노스

스토아학파가 미친 영향은 역사에서 적지 않습니다. 플로티노스(205~270)의 철학은 플라톤을 스토아 방식으로 정립한 것이라고 말할 수 있고, 스토아 철학의 윤리적 명제들은 초기 기독교 교부들의 사상에도 많은 영향을 주었습니다. 또 신과 자연을 동일한 것으로 인식하는 점은 스피노자나 브루노의 철학에서 나타나고 있습니다.

에피쿠로스학파

에피쿠로스학파는 쾌락을 선과 삶의 목적으로 여기는 형이상학적이고 윤리적인 사상으로서 에피쿠로스(BC 342?~BC 271)에 의해서 처음으로 주창되었습니다. 에피쿠로스의 형이상학은 데모크리토스의 발자취를 따라서 유물론적 원자론에 기초했으며, 윤리학적 기본 개념은 평온과 공포로부터 자유로운 상태와 육체와 정신의 고통 없는 상태를 의미하는 쾌락이 최고의 도덕적 선이라는 데 있어요. 그래서 에피쿠로스학파를 쾌락주의라고도 부릅니다. 그러나 쾌락주의라는 말 때문에 오히려 많은 오해와 비난을 받기도 했어요. 사실 에피쿠로스는 감각적인 쾌락을 물리치고 영혼의 평화나 우정에서 삶의 즐거움을 얻고 고통을 일으키는 공적인 삶을 피해서 한적한 생활을 하도록 가르칩니다. 에피쿠로스와 그의 제자들은 대체로 정치를 기피했어요. 에피쿠로스 자신의 저서는 별로 남아 있지 않고 제자나 계승자 들에 의한 이론의 변천도 거의 없지요. 로마 시대에는 루크레티우스(BC 94?~BC 55?)가 에피쿠로스학파에서 유명한 사람으로 눈에 띕니다.

▲ 루크레티우스

에피쿠로스 사상은 스토아 사상처럼 헬레니즘 시대에 크게 유행했으며 로마 제국시대에까지도 영향을 주었습니다. 콘스탄티누스 대제 이후 기독교가 대세로 되면서 에피쿠로스 사상은 억압을 받았습니다. 왜냐하면 기독교의 가르침과 양립하기 어려웠기 때문인데, 에피쿠로스의 원자론적 유물론에 따르면 신은 단지 물질적 존재일 뿐이며 인간사에 별로 상관이 없고 만물을 창조하지도 않았다는 거예요. 단테의 작품에서는 에피쿠로스학파에 속한 자들이 쾌락주의자로 지옥의 불에서 고통 받는 것으로 묘사되어 있습니다.

에피쿠로스의 사상에서 신들은 종교적인 기능은 갖지 못합니다. 신이나 영혼도 다른 물질과 마찬가지로 원자로 이루어져 있으며 인간사와는 아무 상관없어요. 신들은 영혼을 가진다는 점에서 인간과 같지만 인간 영혼의 육체에 대한 결속력은 영원하지 못합니다. 에피쿠로스는 이론적으로 불멸의 존재로서 신들을 인정했지만 그럼에도 그들은 여전히 물질적 존재이며 실제적 삶에 있어서 전혀 관여하지 않기 때문에 이신론과 유사한 결과에 이르게 됩니다.

에피쿠로스학파의 관심은 사람의 일생에서 가능한 한 많은 쾌락을 얻어내고 가능한 한 고통을 겪지 않는 것에 있었습니다. 그리고 이 목적을 이루기 위해서는 절제되고 온건하며 금욕적인 삶을 살면서 만족시키기 어려운 욕심을 갖지 않도록 자제하는 것이 필요하죠. 또 두려움, 즉 대표적인 두 가지 두려움인 신과 죽음에 대한 두려움에서 자유롭게 되는 것이 필요합니다. 결혼도 평정을 방해하는 것으로 여겨 에피쿠로스는 독신으로 살았다고 해요.

에피쿠로스 사상은 중세를 지나는 동안 어둠 속에 묻혀 있었지만 근대에 들어오면서 원자론은 과학자들에 의해서, 쾌락설은 유물론자들에 의해서 다시 관심을 받게 되었습니다.

아카데미학파

아카데미는 기원전 4세기경 플라톤의 철학 학교가 있던 곳으로, 지혜의 신 아테네에게 바쳐진, 고대 아테네 외곽의 올리브 언덕을 칭하는 것이며 철학 공부를 위해서 만들어진 플라톤 학교입니다. 고대 철학에서는 흔히 플라톤 학파나 플라톤의 제자들을 가리키기도 하죠. 이 학교가 언제 건립되었는지에 대한 정확한 기록은 없지만 대체로 오늘날 학자들은 기원전 380년 중반이라고 여기고 있어요. 아마도 플라톤이 이탈리아를 방문하고 돌아왔다고 믿어지는 기원전 387년이 아닌가 하는 추측이 있습니다. 이곳은 김나지움 근처에 있는데, 플라톤이 상속받은 사유지였습니다. 아테네에서 아카데미까지는 1마일(약 1.6km) 정도 된다고 해요. 아카데미 학교는 공립은 아니었지만 최소한 플라톤의 생존 당시에는 수업료를 받지 않았던 것으로 여겨집니다. 수업하는 과목들은 증거는 없지만 플라톤의 작품들에서 주로 다루어지는 수학이나 철학 등이었을 거예요.

플라톤 추종자들은 로마 황제 유스티니아누스가 철학을 금지하고 이 학교를 폐쇄하기까지 거의 900년간 아카데미에서 만났습니다. 뿐만 아니라 오랜 기간에 걸쳐 플라톤 철학은 다양한 방식으로 변천을 겪었지만 아카데미는 플라톤 철학의 모든 학파를 아우르는 의미가 되었죠. 오랜 세월을 거친 아카데미학파는 보통 세 단계로 구분됩니다. 대체로 플라톤과 그의 계승자들로

대표되는 기원전 250년경까지를 구 아카데미
라 하고 회의주의를 수용했던 기간을 중기라
고 부르는데 기원전 150년경까지를 이릅니다.
신 아카데미학파는 기원전 110년경 필로에 의
해서 대표되죠. 그러나 이러한 분류는 항상 일
치하는 것은 아니랍니다.

▲ 아테네 학당

　그 후로는 아카데미 학파에 대해서 별로 알
려진 것이 없습니다. 그러다가 로마 시대에는
플라톤주의가 다시 나타나는데, 이 시대에 플라톤의 철학은 프로클루스
의 지도하에 신플라톤주의의 모습으로 다시 나타납니다. 아테네에서
신플라톤주의 가르침의 기원은 확실하지 않아요. 프로클루스는 아테
네에 와서 아카데미에서 시리아누스가 가르치고 있는 것을 발견했다
고 합니다. 아테네에 있던 신플라톤주의자들은 스스로를 플라톤의
계승자로 부르면서 자신들의 전통이 플라톤에게까지 거슬러 올라간다고 자랑하지
만 실제로는 원래의 아카데미와 지리적·제도적·경제적·개별적인 연속성이 존재한
다고 보기 어려워요. 다시 부활한 마지막 그리스 철학자들은 대체로 다양한 지역
출신으로 헬레니즘의 문화적 배경을 가집니다. 아가티아에 의해서 명명된 7명의
아카데미 회원 중 5명은 시리아 문화권에서 나온 사람들이에요.

　유스티니아누스 황제는 529년 그 학교를 닫아버렸고 신플라톤주의 학자들은 동
방으로 망명했습니다. 아카데미의 마지막 학자는 다마스키우스로 알려져 있어요.
망명 중에 있었던 중요한 신플라톤주의 문하생들은 최소한 10세기까지는 지속했
고 동방 지역들이 이슬람 군대에 의해서 정복되었기 때문에 그 결과 이슬람권에서
플라톤 철학이나 과학 문헌들을 보존하는 데 크게 기여했어요.

피타고라스학파

피타고라스학파는 고대 그리스의 수학자 피타고라스에 의해서 주창된 형이상학적인 학파를 말해요. 피타고라스는 기하학에서 피타고라스의 원리로 잘 알려져 있는 수학자이자 철학자로, 그리스의 사모스에서 태어났어요. 피타고라스는 기원전 6세기경에 남부 이탈리아 크로톤에서 피타고라스 공동체를 세웠어요. 그 당시 피타고라스 공동체의 멤버들은 정치적으로도 영향력이 있었습니다. 그러나 후에는 적대적인 귀족들의 당파에 공격을 받아 구성원들은 죽임을 당하면서 공동체는 해체되었어요.

피타고라스학파는 과학과 종교, 즉 대체로 피타고라스에 의해 시작된 수학과 과학의 연구를 확대하고 발전시킨 부류와 종교적이고 제의적인 부분에 집중했던 두 부류가 있었어요. 종교적으로 피타고라스는 영혼은 불멸이며 육체의 감옥에 갇혀 있고, 사후에 다른 몸으로 윤회하는데 도덕적 정결의 삶을 통해서 이 윤회에서 벗어날 수 있다고 믿었습니다. 무엇으로 다시 태어나느냐는 영혼이 어떻게 살았느냐에 달려 있죠. 왜냐하면 영혼은 이성적이며 자신의 행동에 책임을 져야 하기 때문입니다. 피타고라스학파는 진리를 진지하게 탐구했을 뿐 아니라 구원에 이르는 전체적 생활 방식을 유도했다는 점에서 철학이라기보다는 마치 신비

▲ 피타고라스

적 종교적 집단과 같았어요. 그래서 수행에 필요한 많은 규율들이 있었으며, 또 그리스 민간 신앙의 구전에서 유래하는 갖가지 금기들도 있었지요. 우주의 생명은 동물이나 식물 안에 나타난다고 여겨졌으며, 피타고라스는 매 맞는 개의 부르짖음에서 죽은 친구의 음성을 들었다고 전해집니다.

피타고라스학파의 가르침에는 엄격한 섭생이나 다이어트에 대한 규율이 있어요. 윤회에서 벗어나기 위해서는 이러한 섭생이 필요합니다. 그 섭생법은 콩과 고기를 먹지 않는 채식주의와 금욕주의적 다이어트입니다.

수학적으로 피타고라스학파는 수학 연구에 기초해서 수와 자연과의 신비적인 관계를 통해서 수학적인 우주론을 형성했어요. 피타고라스학파는 우주는 유한과 무한이 어우러져 이루어진 아름다운 전체의 조화로서 만물은 수로서 이루어진다고 주장합니다. 그들은 수의 비례를 '로고스'라고 불렀어요. 피타고라스는 우주의 중심이 있고 그 중심에는 불이 있으며 해와 달과 지구와 반지구 등의 구체가 그 중심을 돌고 있다고 믿는 독특한 우주론을 가지고 있었답니다.

피타고라스는 숫자 1, 2, 3, 4를 중요하게 생각했는데, 네 숫자의 합이 10이고 이것은 수의 전체적 본질을 내포한다고 믿었어요. 또 1, 2, 3, 4에서 1은 점, 2는 선, 3은 면, 4는 입체를 이룬다고 보았고 1, 2, 3, 4의 수만큼 차례로 각 줄에 점을 찍으면 각 변이 4인 정삼각형이 만들어지는 원리를 발견했답니다.

피타고라스는 음악에도 기여했는데 피타고라스 음계가 그것입니다. 예를 들면 1옥타브는 1:2, 5도는 2:3, 4도는 3:4 같은 배율에 관한 거예요. 기원전 5세기경에는 그의 제자들이 그리스 음악 이론을 가르치는 학교를 세웠습니다.

소요학파

소요학파는 고대 그리스 철학교의 회원들을 지칭해서 부르는 말로 '걸어다니다, 돌아다니다'라는 그리스어의 번역에서 나온 말입니다. 소요학파는 고대 그리스 철학자 아리스토텔레스의 가르침에서 파생된 말이며, 아리스토텔레스가 걸어 다니면서 강의를 하던 관습에서 유래되었다고 전해져요. 아리스토텔레스는 플라톤의 아카데미를 떠나 여행을 하다가 다시 아테네로 돌아와서 리케이온(Lykeion)에서 강의를 시작했습니다. 아리스토텔레스는 플라톤과는 달리 아테네 시민이 아니었기 때문에 재산을 소유하기 어려웠으므로 소크라테스 및 이전 철학자들이 흔히 했던 것처럼 리케이온을 모임의 장소로 이용했기 때문이었어요. 아리스토텔레스와 소요학파의 관계는 플라톤과 아카데미학파와의 관계와 같다고 볼 수 있습니다.

▲ 소요학파(아리스토텔레스 학파)의 모습

소요학파는 학교라고 하기에는 어느 정도 비공식적이어서 강의안이나 학비와 같은 요구는 없었어요. 아리스토텔레스가 직접 강의도 했으며 다른 구성원들의 철학이나 과학적 연구들도 공동으로 이루어졌죠. 여기서 만들어진 많은 내용들이 아리스토텔레스의 이름으로 전해졌다고 해요. 아리스토텔레스가 죽은 후 그의 제자들이 여러 분야에서 연구를 계속했습니다. 서기 529년 유스티니아누스가 고대 철학을 금지한 후로 많은 학자들이 동방으로 이주했고 이슬람권에 많은 영향을 남겼어요.

▲ 술라

　소요학파의 교리들은 주로 아리스토텔레스와 그의 추종자들에 의해서 만들어졌습니다. 아리스토텔레스의 학문 원리는 플라톤과는 대립하는데, 플라톤이 주로 형상에서 출발한다면 아리스토텔레스는 주로 경험에서 시작해요. 그래서 아리스토텔레스에게 철학은 과학적 연구와 유사합니다. 즉 경험을 통한 귀납적 방법으로 많은 사실에서 시작해 보편자에게로 결론을 찾아 나가죠.

　기원전 80년대쯤 로마의 술라가 아테네를 무자비하게 약탈하여 아테네의 모든 학파들은 거의 중단되었고 리케이온은 거의 제 기능을 할 수 없었습니다. 그런데 역설적으로 들리지만 술라는 소요학파에 생기를 가져다주었어요. 왜냐하면 술라 장군은 아리스토텔레스의 저작들을 로마로 가져갔고 그것은 오늘날 존재하는 아리스토텔레스 전집의 기초가 된 아리스토텔레스 작품 모음집이 안드로니쿠스에 의해서 만들어졌기 때문이에요. 신플라톤주의자들에 따르면 안드로니쿠스는 소요학파의 열한 번째 학자로 불립니다. 초기 소요학파는 아리스토텔레스의 사상을 확장하는 데 관심이 많았지만 안드로니쿠스 이후로는 변호하는 데 집중했습니다. 로마시대의 가장 중요한 인물은 아리스토텔레스 주석가인 아프로디시아스의 알렉산더를 들 수 있어요. 또 6세기에 심플리키우스나 보에티우스를 들 수 있습니다. 이후 소요학파는 서방에서는 사라지고 초기 이슬람 철학이 병합되었습니다. 12세기쯤 아리스토텔레스의 작품이 라틴어로 번역되기 시작해 서서히 토마스 아퀴나스로 대표되는 스콜라 철학이 생겨나게 되었습니다.

시저

시저(카이사르)는 기원전 100년경에 로마에서 태어났습니다. 그의 집안은 로마에서 전통 있는 귀족가문이었지만 세 명의 집정관만 배출한 정도에 그쳤어요. 그의 아버지는 시저와 같은 가이우스 율리우스 시저라는 이름을 가진 법무관이었으며 속주의 총독을 지내기도 했습니다. 어머니의 집안은 역사가 있는 집안이며 많은 집정관이 있었어요.

시저의 어린 시절에 대한 기록은 거의 알려져 있지 않아요. 다만 기원전 85년에 아버지가 죽고 그는 16세의 나이로 가장이 되었다고 해요. 그 다음 해에 시저는 주피터 신의 고위 사제로 임명되었고 킨나(로마 공화정의 정치가, ?~BC 84)의 딸 코르넬리아와 결혼했습니다.

폭군 술라(BC 138?~BC 78)가 권력을 잡자 그의 숙청에서 도망친 시저는 기원전 81년에 소아시아의 속주 미누키우스의 수하에 입대했습니다. 기원전 78년에 술라가 죽고 로마로 돌아온 후에 시저는 31세의 나이로 재무관에 임명되어 비로소 로마에서 공직을 시작할 수 있었어요. 기원전 69년에 아내 코르넬리아가 죽고 술라의 손녀인 폼페이와 재혼했습니다. 기원전 65년에 안찰관이 되었고 곧바로 법무관이

▲ 시저

되었지만, 아내의 불륜으로 인해 이혼하고 히스파니아 울테리오르(지금의 스페인 북부·동부·중남부 지역) 속주의 총독으로 떠나고 말았어요.

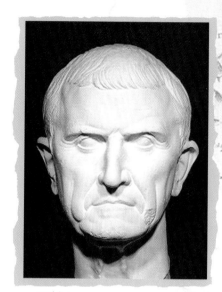

▲ 크라수스

　시저는 집정관에 당선되기 위해서 폼페이우스(BC 106~BC 48)와 손잡고 폼페이우스의 경쟁자인 크라수스(BC 115~BC 53)와도 좋은 관계를 유지했습니다. 이 세 명에 의해서 1차 삼두정치가 시작되었죠. 기원전 59년에 집정관에 당선되었으며 삼두정치의 약속에 따라 농지법을 개혁, 카토와 키케로를 제압하고 원로원을 약화시켰습니다.

▲ 폼페이우스

기원전 58년에 갈리아 나르보넨시스와 일리리쿰이라는 두 속주의 총독으로 임명되어 7년 만에 갈리아 전역을 장악했습니다.

폼페이우스와 결혼한 시저의 외동딸 율리아가 기원전 54년에 산고로 죽고 크라수스도 파르티아 전쟁에서 전사하고 말죠. 연고와 균형이 무너지면서 폼페이우스는 원로원파로 기울었고 원로원은 시저 쪽의 요구를 묵살하고 폼페이우스에게 이탈리아 군사권을 넘겨주고 시저에게 군대 해산을 요구했습니다. 호민관 안토니우스 같은 시저의 지지자들이 거부권을 행사하는 동시에 시저는 폼페이우스와 동시에 군대를 해산하겠다는 요구를 했지만 원로원에 의해서 묵살되자 그는 군대를 이끌고 루비콘 강을 건너 로마로 향했어요. 시저의 군대는 조속히 이탈리아 반도를 남하해 공략했으며 폼페이우스는 놀라서 로마를 버리고 도망갔습니다. 폼페이우스의 거점이 히스파니아와 북아프리카에 있기 때문에 시저는 히스파니아로 가서 갈리아에 있는 휘하 군단을 합쳐서 폼페이우스 군대를 격파했습니다. 다시 로마로 돌아온 그는 집정관으로 선출된 다음 다시 폼페이우스 군대를 정벌하기 위해서 그리스로 가서 안토니우스의 군대와 합류하여 디라키움에서 폼페이우스 군대를 격파했습니다. 폼페이우스는 이집트로 도망했으나 그 곳에서 암살되었어요. 시저는 아프리카와 히스파니아에서 폼페이우스 잔당을 소탕해 내전을 종결하고 권력을 손에 넣고 여러 가지 국가 개혁을 시행했습니다. 기

원전 44년에 종신독재관이 되었으며, 그해 3월 15일에 원로원에서 파르티아 원정 전에 속주 담당자를 발표하던 중에 브루투스를 포함한 14명의 원로들에 의해서 암살되었습니다.

▲ 갈리아 전기

시저는 원로원의 충성서약을 받고 개인 경호부대를 해산했기 때문에 호위병사가 없는 상태였어요. 시저의 모든 유산은 장차 아우구스투스 대제가 될 양자 옥타비아누스에게 상속되었습니다. 시저는 키케로가 인정할 정도로 탁월한 문장가였으며 《갈리아 전기(戰記)》는 유명한 그의 저작이기도 합니다.

마케도니아의 필리포스 2세

필리포스 2세는(BC 382~BC 336) 고대 마케도니아의 왕으로서 알렉산더 대왕의 아버지로 유명합니다. 그는 아문타스 3세와 유리디케 2세 사이에서 막내아들로 태어나 젊은 시절에는 그리스의 도시들 중에 주도권을 잡고 있었던 테베에 볼모로 잡혀 있었어요. 포로로 잡혀 있는 중에 그는 군사 훈련과 외교 교육을 보다가, 기원전 364년 모국으로 돌아왔습니다. 그리고 형들의 죽음으로 조카의 섭정을 했던 그는 스스로 왕이 되었습니다.

필리포스 2세는 군사적으로 뛰어났고 마케도니아에 대한 비전을 갖고 있었습니다. 그는 앞의 왕들이 전사한 전쟁의 피해를 복구하고자 했고, 외교력을 발휘해 조공을 바치면서 당분간 어느 정도 자유로운 시간을 확보해 내부 문제, 특히 군대를 새롭게 하는 일에 전념했습니다. 그는 긴 창으로 무장한 보병 군대를 창설했는데, 이 군대는 당시 마케도니아에서 가장 강력한 군대였습니다.

필리포스 2세는 기원전 357년, 전에 패했던 일리리아(Illyria)에게 승리를 거두고 내부적으로 확고한 권위를 확립했으며 기원전 356년에 올림피아와 결혼했습니다. 그해에 크레니데스 시를 정복해서 이름을 빌립포스로 바꾸고 그곳에 강력한 수비대를 두어 후에 원정에 사용할 금을 확보하기 위해서 광산을 지켰습니다. 또 그해에 알

▲ 필리포스 2세

렉산더 대왕이 태어났습니다. 이듬해에 필리포스 2세는 아테네 손아래 있던 테르마 만에 있는 도시 메톤을 공격했는데 그 전쟁에서 한쪽 눈을 잃었지만 전쟁을 승리로 이끌었습니다.

필리포스 2세는 북쪽으로 트라키아와 스키티아 인을 공격했고 기원전 340년에 아테네가 선전포고를 하자 다시 남쪽으로 진격했습니다. 그리고 카이로네이아 전투(BC 338)에서 아테네와 테베의 연합군을 맞아 압도적인 승리를 거두고 그리스 내에서 마케도니아의 주도권을 확대했습니다. 이 전쟁에서 알렉산더는 18세의 나이로 진의 좌측을 지휘했습니다. 필리포스 2세는 승리자로서 적대적이던 폴리스들을 용서해주고 기원전 337년에 아테네 중심의 델포이 동맹이나 스파르타 중심의 펠로폰네소스 동맹과 같이 마케도니아를 중심으로 하는 코린트 동맹을 조직하여 지배권을 행사했습니다. 코린트 동맹을 기반으로 해서 알렉산더 대왕은 군사를 이끌고 페르시아에 원정대를 파견할 수 있게 되었습니다.

필리포스 2세는 페르시아 원정을 준비하는 중이었던 기원전 336년, 네 번째 부인이었던 올림피아의 동생 이피로스 알렉사드로스의 혼인 잔치에서 파우사니아스에게 암살되었습니다. 필리포스 2세가 암살되고 나서 알렉산더는 곧바로 마케도니아의 왕으로 임명되었습니다.

로물루스

로물루스는 로마를 세운 것으로 알려진 전설적인 왕입니다. 전쟁의 신 마르스와 레아 실비아 사이에서 태어난 쌍둥이 형제 가운데 형입니다. 로물루스는 동생 레무스와 함께 티베르 강에 버려져 이리의 젖을 먹고 자라, 왕가의 목자인 파우스툴루스에 의해 발견되어 양자로 입양되었다고 전해집니다. 로물루스는 로마의 첫 번째 왕으로 40년간을 통치하다가 갑자기 사라져 퀴리누스라는 신이 되었다고 해요.

로물루스의 외할아버지 누미토르와 그의 형제 아물리우스는 트로이 도주자의 후손이었습니다. 누미토르는 출생의 권리로서 통치권을 얻었고 아물리우스는 왕가의 보물을 얻었는데, 보물을 가진 아물리우스가 세력이 더 강하여 누미토르를 폐위하고 그의 딸 레아를 처녀 사제로 살도록 맹세시켰습니다. 그러나 숲속에서 레아가 물을 찾고 있을 때 전쟁의 신 마르스가 그녀를 유혹해 임신을 시켰고, 아물리우스 왕은 아기를 낳을 때까지 레아를 옥에 가두었습니다. 쌍둥이 형제 로물루스와 레무스가 태어난 것을 알고 아물리우스 왕은 화가 나서 쌍둥이 형제와 그 어머니를 죽이도록 명했죠.

그러나 아이를 죽이도록 명을 받은 종은

▲ 마르스와 레아 실비아

순진무구한 아이들을 죽일 수 없어서 아이들을 바구니에 담아 강에 띄워 보냈습니다. 바구니는 강물을 따라 흘러 내려가다 무화과나무 뿌리에 걸려서 강가로 옮겨지고 이리가 아이들에게 젖을 먹였다고 전해집니다.

▲ 로물루스와 동생 레무스가 이리의 젖을 먹는 모습

처음 세워질 당시 로마에 여자가 아주 모자라서 로물루스는 사비니 종족에게서 여자를 많이 데려와 로마와 사비니는 한 종족으로 섞이게 되었습니다. 로마를 세운 후에 로물루스는 로마 군단과 로마 원로원을 만들어서 군대의 대장과 시의 최고 재판관을 함께 겸했습니다. 로물루스는 동생 레무스를 제거하고 친한 친구의 이름하에 300명의 기병으로 이루어진 개인 경호대를 두어 자신의 신변 보호를 책임지게 했습니다. 그는 로마 왕으로서 거의 20년 동안 영토를 확장하고 이웃에 있는 많은 도시를 정복했습니다. 조부 누미토르가 죽고 난 후에 그의 나라 알바 롱가는 자발적으로 로물루스의 통치를 받았고 로물루스는 시민들에 의해서 직접 선출된 총독을 일 년에 한 번씩 알바 롱가에 임명했습니다.

전설에 따르면 로물루스는 통치 38년에 갑자기 어둠이 내리고 폭풍이 지나간 후 사라졌다고 합니다. 사람들은 로물루스가 하늘로 올라가서 퀴리누스라는 신이 되었다고 믿고 로물루스가 승천했다고 알려진 언덕에 성전을 세우고 퀴리누스 언덕이라고 불러 그의 영예를 기념했습니다.

키케로 의무론

윤지근 글 | 권오영 그림

01 《의무론》의 저자는 누구인가요?
① 키케로　　　② 세네카　　　　　③ 브루투스
④ 플루타크　　⑤ 디오게게네스

02 키케로는 어느 나라 사람인가요?
① 그리스　② 로마　③ 바빌로니아　④ 아시리아　⑤ 페르시아

03 키케로는 다음 중 어느 학파에 속하나요?
① 에피쿠로스학파　　　② 피타고라스학파　　③ 스토아학파
④ 견유학파　　　　　　⑤ 소피스트

04 다음 내용과 관계있는 사람은 누구일까요?
• 제1차 삼두정치　　• '주사위는 던져졌다.'고 말함
•《갈리아 전쟁기》
① 안토니우스　　　　② 카이사르　　　　③ 옥타비아누스
④ 폼페이우스　　　　⑤ 브루투스

05 《의무론》은 몇 권의 책으로 이루어졌나요?
① 1권　　② 2권　　③ 3권　　④ 4권　　⑤ 5권

06 키케로가 말하는 '도덕적 선'에 속하지 않는 덕목은 무엇일까요?
① 정의　　② 지혜　　③ 용기　　④ 인내　　⑤ 사랑

07 다음 중 키케로가 말하는 의무와 가장 관계가 적은 것은 무엇일까요?

① 도덕적 선　　② 데코룸　　③ 유익함

④ 공익　　　　⑤ 권력

08 다음은 무엇에 대한 설명인가요?

- 플라톤의 이야기에서 유래한 것으로 다른 사람의 눈에 자신을 보이지 않게 할 수 있다.
- 그는 이것을 이용해서 리디아의 왕이 되었다.

① 기게스의 반지　　② 니벨룽겐의 반지

③ 판도라 상자　　④ 엑스칼리버　　⑤ 절대 반지

09 《의무론》이 말하는 내용에 해당하지 않는 것은 무엇일까요?

① 도덕은 최고의 선이며 또한 유일한 선이다.

② 도덕적 선과 유익함은 결코 서로 충돌하지 않는다.

③ 도덕적 선과 유익함은 모두 의무에 속한다.

④ 재산을 획득하고 축적하는 것은 좋은 일이 아니다.

⑤ 도덕적 선과 함께 데코룸도 의무에 중요하다.

10 가장 높고 중요한 의무의 세 단계를 적어 보세요.

통합교과학습의 기본은 세계사의 이해,
세계대역사 50사건

제대로 알차게 만든 교양 세계사 만화!
우리 집 최고의 종합 인문 교양서!

★서양사와 동양사를 21세기의 균형적 시각에서 다룬 최초의 역사 만화
★세계사의 핵심사건과 대표적 인물을 함께 소개해 세계사의 맥락을 짚어 주는 책
★시시각각 이슈가 되는 세계사 정보를 지식이 되게 하는 재미있는 대중 교양서

김창회 외 글 | 진선규 외 그림 | 232쪽 내외

원전을 살려 쉽고 재미있게 쓴
한국고전문학읽기 전50권

홍길동전 · 춘향전 · 사씨남정기 · 양반전 외 · 장화홍련전 · 전우치전 · 심청전 · 허생전과 열하일기 · 토끼전 · 흥부놀부전

금오신화 · 박씨전 · 옹고집전 · 금방울전 · 구운몽 · 최척전 · 이춘풍전과 배비장전 · 조웅전 · 임경업전 · 옥단춘전과 채봉감별곡

박문수전 · 숙향전 · 바리데기와 당금애기 · 삼국유사 · 한중록 · 인현왕후전 · 운영전과 심생전 · 최고운전 · 숙영낭자전과 콩쥐팥쥐 · 우리나라 설화와 전설

왕오천축국전 · 삼국사기 · 삽교별집 · 장끼전과 두껍전 · 적성의전 · 파한집과 보한집 · 임진록 · 난중일기 · 유충렬전 · 창선감의록

로원야화기 외 · 역옹패설 · 고려사 · 조선왕조실록1 · 조선왕조실록2 · 청구야담 · 윤지경전과 김원전 · 동문선 · 계축일기 · 고대 가요

허균 외 원작 | 전윤호 외 글 | 최정인 외 그림 | 144~212쪽 | 각권 9,500원, 세트 475,000원 | 독자 대상 4학년~중학생

소년한국일보 좋은 어린이책 대상 수상 | 소년조선일보 2013 올해의 어린이책 | 제22회 대통령상타기 전국 고전읽기 백일장 본선대회 도서 | 한국소설가협회 추천도서 | 한국어린이교육 문화연구원 으뜸책 선정

우리나라 대표
시인과 소설가가 풀어쓴 고전!

《춘향전》《심청전》《흥부놀부전》《박씨전》《최척전》《장끼전과 두껍전》《고대 가요·한시·시조》 등 초·중등 국어 교과서 수록 작품과 수능 및 모의고사 출제 작품까지 분석해서 목록을 구성했습니다.

서울대학교 국어국문학과
김유중 교수가 직접 쓴 작품 해설!

고전이 탄생한 시대적 배경과 작품의 의미 등 전문가가 직접 쓴 신뢰할 수 있는 해설은 고전을 읽는 즐거움을 느끼게 해 줍니다.

바른 인성 교육 해법과
초·중 문학 교육 과정의 필독서

김종광, 정길연, 고진하, 서유미, 김이청, 전성태 등 소설가와 시인이 고전의 참맛을 살리면서도 우리말과 글의 아름다움을 살려 읽기 쉽게 풀어썼습니다.

김유중(서울대학교 국어국문학과 교수)

장끼전과 두껍전 · 허생전과 열하일기 · 조선왕조실록1 · 고려사 · 홍길동전

미국판 디스커버리 에듀케이션
정식 계약판 50권 완간!

Discovery EDUCATION 맛있는 과학

전 50권

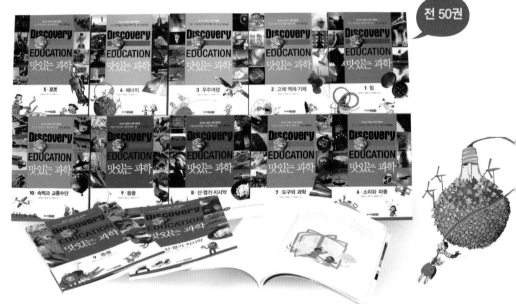

이제 〈디스커버리 맛있는 과학〉으로
초등 과학을 완전정복 할 수 있다!

★디스커버리의 생생한 사진 자료와 과학 상식을 한국 교과 과정에 맞게 쉽고 재미있게 구성한 과학 학습서!
★초등학교 과학 수업의 복습과 예습을 위한 제2의 참고서!
★집에서도 스스로 선행학습 할 수 있는 100여 가지 실험 방법 수록!
★학습한 과학 내용과 관련 있는 다양한 상식과 일화 수록!

김민정 외 글 | 진주 외 그림 | 112쪽 내외 | 각권 9,000원, 세트 450,000원 | 독자 대상 초등 전학년